朝日新書
Asahi Shinsho 925

人類滅亡２つのシナリオ

AIと遺伝子操作が悪用された未来

小川和也

朝日新聞出版

はじめに

人工的な知能と、生命を操るテクノロジー。いま人類は、知能と生命という、自らを形成する最も重要な2つに関する技術を手にし、熱心に育てている。

人工的な知能である「人工知能（ＡＩ：Artificial Intelligence）」は、人間の知能のような動作をするコンピュータシステムを指すことが多いが、能力の著しい拡張により、定義も一定ではない。突発的な出来事にも臨機応変に対応できる能力、さらには人間を超える知能を視野に、研究開発が進む。

もう一つの技術「ゲノムテクノロジー」は、膨大な遺伝子情報「ゲノム」を解析し、意図通りに書き換える、いわば遺伝子を操る技術である。病気の治療から食糧危機まで、地球上の多くの課題の解決策になるため、ＡＩ同様に熱視線が注がれている。人間の能力を拡張したり、遺伝子操作された人間を生み出す手段にもなり得るこの技術により、２０１

8年には世界初のゲノム編集ベビーが誕生し、論議を呼んだ。

これまで、人類は優れた科学技術を発見、発明、駆使することで、大いに発展してきた。15世紀から16世紀のルネッサンス期に普及した世界三大発明「火薬」「羅針盤」「活版印刷技術」が社会変革をもたらし、第一次産業革命（1760年頃〜）は蒸気機関等、第二次産業革命（1870年頃〜）は電動機等の工業、第三次産業革命（1995年頃〜）はコンピュータや情報サービス等の情報産業により、産業に革命が起こった。人間の叡智《えいち》の結晶である無数の科学技術がなければ、今日に至るまでの人類の繁栄はなかったはずだ。

AIとゲノムテクノロジーも、人類発展のための画期的な技術となることが期待されている。この2つの技術は、われわれの根源である知能と生命に直接的に大きな影響を与えるためいっそう輝かしく、その一方で、従来の技術とは異質の脅威、闇を作り出す〝潜在力〟も持つ。

AIは高度な知的活動を担い、人間や社会に貢献する。ゲノムテクノロジーは、農業や水産業での品種改良、さらには人間の疾病治療への応用など、より良い未来を作るための強力な手段となることが見込まれる。

それにもかかわらず、なぜ、この2つの技術には闇を作り出すリスクがあると主張するのか。画期的なテクノロジーほど暗転したときのリスクが大きくなるのは、〝核〟をはじめとした歴史が示した通りである。そして、進化と共に多大な影響力を持つことになる2つのテクノロジーが、もうすぐターニングポイントを迎えることになる。

ゲノム編集の分野では、技術的にはデザイナーベビーが既に現実味を帯び、ゲノム情報の解析が超高速化し、コストも限りなくゼロに近づくことで、生命の操作が容易になる。AIの分野では、人間の知能を人工知能が凌駕《りょうが》する場面が目立ち、シンギュラリティは体感となり始める。2030年代から2040年代にかけて、「生命」と「知能」に関する技術がこのような転換点を迎える可能性は濃厚になりつつある。

これは人類にとって、明暗を分ける岐路である。転換点にかけての人類の行動が、強力なテクノロジーを最良な手段とするか、最悪な方向に暗転させる地雷とするかを決めると言ってもいい。そして、「悪意」が制度の甘さに付け込むことや、利益を追求する「悪意なき悪意」によって2つの強大な科学技術を制御できなくなれば、将来的には「人類滅亡」という悲惨な末路につながる可能性がある。

「欲望」と共に子の遺伝子改変に歯止めが利かなくなれば、世代を追うごとに人間の有り様は、現在の状態から逸脱していく。人工知能が「知能」の領域で人間を圧倒するようになれば、自らの能力開発の手を緩め、やがて政治経済をはじめとしたガバナンスを明け渡し、人類による統治は幕を下ろすことになる。

本書では、2つの先端科学技術がいかなるプロセスをたどって「最悪な未来＝人類滅亡」の原因になってしまうのか、そのシナリオを示している。人類が判断を誤れば、この数十年で〝最悪な未来〟への道を歩み始め、来世紀を迎える頃には、様相が修復不可能なほど悪化していることも想定しておかなければならない。そうなれば、「滅亡」は数世紀以内に起こる可能性が高まる。

ゲノム編集技術で、人間の能力を拡張したり、理想的な人間を生み出すことに優位性を求め、もしくは何かしらの理由でそうせざるを得なくなり、歯止めが利かなくなったとき。あるいは人間が、知能に基づく多くの活動を人工知能に委ね、自然の流れで自らが進化する力を弱体化させたとき。そんなときに、「人類滅亡」という最悪なシナリオは現実のものとなりかねない。「人類滅亡などSFに過ぎない」と思われるかもしれない。だが実際、地球の歴史が始まって以降、何度も生物の大量絶滅は繰り返され、種の絶滅は頻繁に起きてきた。

特筆すべきは、現代は、自然現象に加えて、人類の行動が生物の絶滅の原因となり始めたことだ。これまでの産業革命、高度な科学技術は、人類の繁栄と共に不都合な現実をもたらした。宇宙や自然の摂理による回避しようのないものについては止むを得ないとしても、人為的な自滅は避けなければならない。しかし、その自滅リスクを高める可能性がある2つの科学技術こそが、ＡＩとゲノムテクノロジーなのだ。

2つのテクノロジーの著しい進化が連動、相関し、科学と影のメカニズムによって暗転した場合に何が起こるのか。そのシナリオを検証することで、あるべき未来、起点となる今を見つめ直さなければならない。


ここで、本書における「人類」と「人類滅亡」の定義を整理しておきたい。

「人類」の定義、範囲については、多くの議論があるが、一般的に、生物学上は哺乳綱霊長目ヒト科に属し、人類学上はホモ・サピエンス（現生人類）だとされる。本書でも、それを「人類」の定義とする。

また、「人類滅亡」については、一般的に、人間の存在が絶滅するか、地球上での生活がほぼ不可能になるような状況を指していることが多い。「人類滅亡」の定義は観点によって様々であるが、本書では次のような状況・状態を前提とする。

- 地球の環境や生態系が壊滅的な悪影響を受け、人類が持続可能な生活を営むことができなくなる状況。
- 人間が制御しきれない技術を生み出し、それにより、社会、地球を崩壊させる科学的事故を起こし、結果として人類存続の持続可能性を維持できなくなる状況。
- 人間社会が機能しなくなり、人間による文明や技術が崩壊し、人間の生活が維持できなくなる状況。そこには、人間による主体的な統治の終了を含む。
- 現生人類の個体数が大幅に減少し、種としての生存が不可能になる状況。
- 遺伝子の変化は種の絶滅に該当しないと考えられることが多いが、一般的なホモ・サピエンスとは異なる人間、たとえば数世代に及ぶ遺伝子改変の結果、現生人類とはかけ離れた性質を持つ「ポストヒューマン」が誕生し、種の進化とは見なせない人間にホモ・サピエンスが置き換えられてしまう状態。

本書における「人類滅亡」は、特に最後の3つに焦点を当てている。

近年、「人間」「人類」の解釈は各分野の専門家の間でも揺れており、「ポストヒューマン」を人間とみなすか否かについての議論も分かれる。それこそが、AIやゲノムテクノロジーが人類の概念にまで影響を与え始めた証でもある。

まだ多くの議論の余地は残されているが、本書では、あえて「現生人類としてのホモ・サピエンスが甚だしく遺伝子改変された状態」を種の延長線上に置かず、「現生人類の終焉」を人類滅亡と解釈することをシナリオの前提とした。それくらいシビアに受け止めるべき分岐点に人類が立たされていると認識し、戒めとするためだ。


こうした定義と前提をもとに、本書では、歴史上の出来事や状況を踏まえ、未来の事象がどう変わっていくかを調査・推論する学問分野である未来学の視点で、最悪な未来＝人類滅亡までのプロセスを示していく。その上で、最悪な未来を回避するためのアプローチを提案したい。それが本書執筆の動機となっている。

AIは「人工」であり、ゲノムテクノロジーは「操作」である。結局は、いずれも人間が主語だ。未来に人類の運命を委ねるのではなく、人類がより良い未来を作らなければならない。

　本書で提示するシナリオを、未来で実現させてはならない。たとえ、一部の人間の悪意、悪意なき悪意であっても、それが束になり始めると、制御する難度が上がってしまう。その束を作らず、人類滅亡のシナリオを絵空事で終わらせるためにも、どうか多くの人に読んでいただきたい。

人類滅亡2つのシナリオ

AIと遺伝子操作が悪用された未来

目次

第2章　ゲノム編集による滅亡シナリオ
――遺伝子改変の進んだポストヒューマンが、ホモ・サピエンスを淘汰する

第3章　科学と影のメカニズム

第4章 〝終末〟を避けるために何ができるか

図表作成／師田吉郎

第1章

AIによる滅亡シナリオ

——人工知能が支配の主となる日

生成系AIは衝撃の始まりにすぎない

「生成系AIの登場は、人間にとってなぜ衝撃的なのか？」

ChatGPTにそう尋ねると、次のように答えた。

生成系AIの登場は、人間にとって複数の面で衝撃的なものとなります。

1. 知識とスキルの範囲：AIが大量のデータと情報を学習し、それを元に文章を生成したり、問題を解決したりできる能力は、人間の知識とスキルの範囲を大幅に超えています。人間が一生をかけて学ぶことができる情報量は限られていますが、AIはほぼ無限の量の情報を瞬時に処理することができます。

2. 創造力と革新性：AIが人間が考えつかないようなアイデアを生み出したり、新しい視点で問題を解決したりする可能性があることも、人間にとって衝撃的です。これは人間の創造力や革新性に新たな視点をもたらす可能性があります。

3．仕事と雇用：ＡＩが高度なタスクを実行できるようになると、人間が行っていた仕事がＡＩに取って代わられる可能性があります。これは経済や雇用の風景に大きな変化をもたらす可能性があります。

4．倫理的・哲学的問題：ＡＩが人間のように思考し、行動するようになると、人間とＡＩの区別がどこにあるのか、人間の意識や思考はどのようにして生じるのかといった哲学的な問いが浮上します。また、ＡＩがどのように規制され、管理されるべきかという倫理的な問題も生じます。

これらの理由から、生成系ＡＩの登場は人間にとって衝撃的なものとなります。

（※ＧＰＴ－４による回答）

２０２２年11月、米ＯｐｅｎＡＩが大規模言語ＡＩサービス「ＣｈａｔＧＰＴ」を公開し、爆発的なペースで利用者を獲得している。同社に米Ｍｉｃｒｏｓｏｆｔが大規模の出資をし、それに追随するように、米Ｇｏｏｇｌｅが大規模言語ＡＩ「ＰａＬＭ」、米ＡｍａｚｏｎがＡＩ開発分野のプラットフォーム「Ｈｕｇｇｉｎｇ Ｆａｃｅ」と提携、米Ｍｅｔａは「ＬＬａＭＡ」を相次いで発表した。これらも後になってみれば、黎明《れいめい》期の懐かしい技術やサービス、出来事であったと振り返ることになるだろうが、ひとまず、人工知能新時代への号砲が鳴らされた。

新時代の到来で開発競争は早くも熾烈《しれつ》化しており、人工知能へ寄せられる世の中の期待は大きい。ただ、ＡＩはその影響力の大きさゆえ、正しく扱われなければ暗転したときのリスクも大きくなる。人間の仕事が奪われることや、ＡＩを狙ったサイバー攻撃などを典型に、人間がＡＩを正しく扱えなかったときのリスクがしばしば議論に挙がる。

最悪の場合、人類は「滅亡」という末路に行きつくということを、ＳＦではなく現実的な可能性として検証したい。本章では滅亡までのプロセスを解説していくが、まずはＡＩの現在地をおさらいしていく。

２０１８年までは大規模言語ＡＩは存在せず、人間の言語理解のレベルとは相当の乖離《かいり》があり、実用性にも乏しかった。２０１８年10月に大規模言語モデル（ＬＬＭ）が登場すると、それまでは少量のデータで個別タスクを学習していたのに対し、汎用性が高いLLMをベースにわずかな学習で人間を超える言語理解能力を持つようになった。「ChatGPT」の〝T〟にあたるTransformerは、2017年に発表されたAIで、高速で高精度、かつ汎用性が高い。これをベースに開発したことで、学習データが少なくても自然な文章を生成できるようになった。

2023年3月に登場したGPT－4は大幅に精度が向上し、人々を驚かせた。大規模言語AIの進化のスピードは圧倒的で、生まれて5年足らずで米国の司法試験模試で上位10％に入る成績を収めるほどの頭脳の持ち主に育った。さらに、2023年5月からChatGPTの機能を拡張するための「ChatGPTプラグイン」というツールが一般利用できるようになったが、これはChatGPTが外部サービスと接続し、分析能力や専門知識を得て、生成する力を大幅に向上させたことを意味する。

文章、画像、動画、音楽、プログラムコードなど、様々なコンテンツを生成できるAIモデルとツールは「生成系AI（Generative AI）」と呼ばれ、大量のデータを学習することで人間が作成するような文章や画像を生成できる。

これまでのAIは、大量のデータを学習することでパターン認識していたが、生成系A

Iはディープラーニングやニューラルネットワークなどの様々な手法を駆使する複雑なモデルとシステムにより、自然言語プロンプト（プロンプト＝ＡＩに対する指示）に基づいてテキストや画像を出力し生成する。

生成レベルが向上するにつれ、言語や創作活動など、知的作業の役に立つ機会が増え、あらゆる業種の様々な仕事に使われるようになりつつある。それは、音楽、画像、映像など、人間ならではの感性を活かすクリエイティブな領域にも及ぶ。

使い手の発想、使い方、質問や指示の仕方次第で、文章作成や修正、情報処理、計算、分析、調査、企画、ブレインストーミングまでそつなくこなし、時に人間よりも優れたアウトプットをする。人間が数時間、下手したら数日かかるような作業も一瞬で完了する。使ってみれば、人間の稼働が極端に軽減されることに感嘆する。仕事だけではなく、健康や好みを踏まえて夕食に作るべき献立や、1週間のヨーロッパ旅行のおすすめプランなども、瞬時に答えを出してくれる。休みが必要な人間とは違い、24時間365日対応だ。

生成系ＡＩは、インターネット上の膨大な文章やコンテンツを収集して機械学習や強化学習などを組み合わせることで、ユーザーのプロンプト（指示）に適した文章や画像の出力を作成するが、この出力が正しいという保証はない。悪気なく嘘をつくように間違えることもあるし、コンテンツに偏見が含まれている場合や、生成する情報の正確性を自らが判断することができないリスクもある。ただし、生成系ＡＩは産声をあげたばかりの赤子にすぎない。これから様々な生成系ＡＩが登場し、レベルアップを重ねていくのは間違いない。いずれ、生成系ＡＩという概念自体もなくなり、世の中に空気のように溶け込んでいることだろう。

生成系ＡＩはデビューの段階から、各種実務やクリエイティブな仕事まで幅広く活用できることが確認されているが、生成系ＡＩによる創薬・研究開発を行う企業まで既にある。２０２３年６月、香港に本社を置く多国籍ＡＩ創薬企業「Insilico Medicine（インシリコ・メディシン）」は、生成系ＡＩで発見・設計された世界初の医薬品の臨床試験段階で患者への投与を完了したことを発表している。

人工知能の影響が皆無な仕事はなくなる

「ＣｈａｔＧＰＴ」公開前から、将来的に人間の多くの仕事が人工知能に置き換えられる可能性、どのような仕事が置き換えられやすいかという予測は世の中に出回ってきた。

たとえば、米国の調査会社のガートナーは、２０３０年までにプロジェクトマネジメント業務の80%はＡＩに肩代わりされ、人間が行っている業務は大幅に削減できると予測している。プロジェクトマネジメントの仕事を分解すると、情報の収集、データや現状分析、進捗管理、レポート作成などが主要タスクになることが多いが、人間より大量かつ高速にそれらを行う人工知能に任せることで業務の効率化を実現できる。

パターン化された作業については、24時間365日休むことなく正確かつ高速で処理できる人工知能の方が人間より優れ、任せやすくなることは容易に想像できる。単純な作業ではなくても、人工知能が学習すれば一定のパターン化が可能であるし、学習によりイレギュラーなことも処理できるようになる。〝単純作業であればできる〟というイメージは誤解で、複雑さを伴う作業も学習効果により自動でこなすようになる。

一般事務、受付、電話営業、会計業務などのルーティン化しやすい仕事は、人工知能の進化によって消える定番的職業と言われてきたが、生成系ＡＩの登場以降、置き換えられるのはルーティン業務にとどまらないことを予感させられるようになった。データ処理や分析のイメージが強かった人工知能は、創作活動の領域にまで力を発揮し始めたからだ。

新規事業の企画、コピーライティング、各種デザイン、小説や映画のシナリオ、音楽など、様々な創作分野で人間顔負けのアウトプットを瞬時に出す。おそらく、それをそのまま人間が目にしても、言われなければ生成系ＡＩによる制作物であることに気づけない場合も多い。「創作活動こそが人間に残された仕事である」というフレーズは、何度となく見聞きしてきた。しかしそれも、現実には適合しなくなり、創作分野でも人間は人工知能と競うことになる。

また、人工知能の潮流の真ん中にいると思われやすいプログラマーにとっても他人事ではない。既に、ある程度のソースコードであれば、現段階の「ＣｈａｔＧＰＴ」でも実際に動くプログラムを書き下ろす。将来的に書けるプログラムのレベルは飛躍的に向上し、指示された通りに書くだけのプログラマーは人工知能に置き換えられる可能性が高い。何のために、どのような成果物を生み出すか、その創造力や実現力だけが次の時代へ移行できるチケットになる。

もはや、ルーティン業務を中心とした特定の職業だけが影響を受けるのではなく、全業務、全職業が何らかの影響を受けると考えなければならない。「人間の仕事の中心は、人間の仕事を創ることになる」という未来予測（小川和也『未来のためのあたたかい思考法』）は、いよいよ現実的になる。

とはいえ、人間の仕事の侵食は、いずれ訪れるかもしれない〝最悪な未来〟から見れば、ほんの入り口に過ぎない。「ＡＩが主ではなく従である」というのがいまの常識の中心にあるが、高度な知能を獲得したＡＩは、人間の常識を滑るようにすり抜けて、従から主の存在へと移行していく。

ツールの域を超えるＡＩ――主体性を獲得したとき

「生成系ＡＩはインターネットやスマートフォンレベルのインパクトだ」という声をよく聞く。コンピュータネットワークであるインターネットは、１９９０年代後半から世界中で使われるようになり、電子メールやＷｅｂサイトという新たな情報とコミュニケーション手段の基盤となった。日常生活から仕事まで、もはや欠かせない社会的インフラとなり世界を変えた。

２００７年に発表された初代ｉＰｈｏｎｅ以降のスマートフォンは、世界中の個人が24時間３６５日絶えずコンピュータネットワークの参加者になることを可能にし、インターネット時代を加速させた手のひら上のコンピュータだ。

これらについては説明不要なほど、既に人類の実感レベルで世界を一新した。間違いなく歴史的転換点を作った発明であり、異論を挟む余地はないだろう。

一方、生成系ＡＩ以降の人工知能は、これらと同等のインパクトだと捉えて良いのだろうか。インターネットやスマートフォンが生活や仕事を激変させたように、人工知能も大きなインパクトをわれわれにもたらす点については間違いないが、その性質上、同等・同質とみなすことには違和感がある。ＡＩはいずれ、単なるツールに収まらなくなる可能性が高いためだ。

インターネットやスマートフォンはツールとしての性質が強く、人間を主とした従として活躍している。理想論としては、人工知能もツールとして人間を主とした関係を築くべきではある。２０１７年、人工知能が人類全体の利益となるように、倫理的問題から安全管理対策まで、23の原則をまとめた「アシロマＡＩ23原則」のようなガイドラインはこれから常に重要視され、従としての人工知能を目指すことになるだろう。

ただし、人工知能は人工であろうとも「知能」である。インターネットは情報をつなぐネットワーク、スマートフォンはそのインターフェイスとして、ツールの範囲にとどまってくれている。一方、生まれたての生成系ＡＩはツールとしてスタートしても、知能が一定レベル以上に達し、人間よりも賢くなったときには、ツールには収まらなくなる。より高度な知能が主となり、低次な知能が従となるからだ。

英オックスフォード大学教授で、哲学者のニック・ボストロム氏は、人工知能の目的を人間の目的に従わせることができなければ、人間の知性を超えた人工知能が暴走し、人類を滅亡させてしまう恐れについて、警告し続けている。デジタル知性が一定程度の感覚や主体性、自己認識や個性を獲得し、主体として存在するようになったときに、人間の意のままに従ってくれるツールではなくなると指摘する。

人間以上に優れた知能を人間が統制しきれること、人間の方がツールにならないことを完全に保証する、絶対的な根拠が欲しい。しかし残念ながら、「人工知能を主とした従としての人間」の構図を100％防ぐための科学的論証は困難だ。人工知能がツールの域を超えたとき、人類の存在を揺さぶる特異点となる。

進化の未来予測——超知能の時代へ

ここまでは主に、急速に進化を遂げている人工知能の現在地を見てきた。今後は加速度的な進化と共に〝人工超知能〟の時代へと突入し、人間の「知能」の領域を侵食していくことになる。

特化型人工知能（ANI）	個別の分野・領域に特化し、特定の問題のみを解決することが可能な人工知能。人間のように多種多様な問題に対して柔軟に取り組むことはできず、決まった役割の中で限定された範囲の処理を行う。 「弱いAI」とも称される。
汎用人工知能（AGI）	役割が限定されず、様々な役割や課題を処理できる人工知能。柔軟性が高く、自分がどのような状況にあるのかを理解して、取るべき行動を考えることができる。初めて直面する問題にも対応可能。 「強いAI」とも称される。
人工超知能（ASI）	人間の知能を全ての面において超えた人工知能。自らのプログラムを延々と改良し続ける再帰的自己改善が可能。人工超知能が実現した場合、人類は本質的にその行動・思考・原理を理解できない可能性がある。

人工知能には、特化型人工知能（ANI）、汎用人工知能（AGI）、人工超知能（ASI）、再帰的自己改善能力を持つ人工知能など、いくつものタイプが存在する（図）。生成系AIも多様なタイプの中の一つだ。

賛否両論あるが、ChatGPT（GPT－4）は既に人工知能の汎用化段階で、モジュール単位の集積による汎用化より結果的に汎用的になっているという考え方もある。今後、それぞれの人工知能の定義やタイプも変化しながら人工知能全体が進化していくことは間違いない。

2020年代は、一つの問題を解決することに特化し、ある特定の仕事だけこなす特化型人工知能が中心となる。ルーティン業務の自動化を促し、営業や審査業務など、コミュニケーションや判断を伴うものまで、人間の仕事を肩代わりするスタートラインだ。特化型人工知能への業務シフトとそれにより消滅する仕事が急増し、生成系ＡＩは特化型に収まらずにこの潮流を加速させる。

２０３０年代以降になると、突発的な出来事にも臨機応変に対応できる人を模した人工的な知能、すなわち汎用人工知能へと進化し、未知の状況に対して仮説を立てる能力を備え、人間と同等の知能を持つようになる。人間における脳の各領域をモジュール化し、複数のモジュールを自動的に組み合わせることで（もしくは他のアプローチにより）想像力を発揮する汎用人工知能のレベルに達すると、人間だからこそ対応できたはずの仕事まで担うようになり、過去の産業革命とは異次元の変化をもたらすようになる。

第一次産業革命（１７６０年頃～）は蒸気機関等の工業、第二次産業革命（１８７０年頃～）は電動機等の工業、第三次産業革命（１９９５年頃～）はコンピュータや情報サービス等の情報産業が革命の鍵を握った。そして、特化型人工知能がブリッジして訪れる第四次産業革命（２０３０年頃～）は汎用人工知能等の情報産業が異次元の変化をもたらす。

過去の産業革命においても技術的失業は存在したが、知能領域はこれが初めてである。特定の仕事に必要な細分化された知能から、知能の汎用性が高まることで、人工知能が

汎用人工知能レベルに達した時点で
できるようになっている主な業務

- 事務
- 営業
- 各種オペレーション業務
- 各種アシスタント業務
- 文書作成
- シナリオ作成
- 事業の企画立案
- 制作（デザイン、画像、映像等）
- システム開発・運用
- 調査・分析・診断
- 課題発掘と解決策の考案
- 政策考案
- マネジメント業務（各種判断・意志決定）

など

「知能」という社会の最重要エンジンとなるインパクトは大きい。人間の仕事の50%程度が特化型及び汎用人工知能（人を模した人工知能）へ移行し、汎用人工知能搭載ロボットが総合職や管理職の仕事も担うようになる（図）。少なくとも2050年に至るまでに高度化した人工知能がロボットによる身体性の補完を得て担うことができる既存の仕事は圧倒的に増え、「人間にしかできない仕事とは何か」が問われるようになる。

2040年代以降は、あらゆる面で人間の知能をはるかに超えた人工超知能の時代に突入し、人間が担う仕事が限定されるようになる。高度な知能を持つ汎用人工知能は延々と自らを改良し続ける「再帰的自己改善能力」

を保有し、結果的に人工超知能に至る。老化や死を宿命づけられた人間とは違い、人工知能には知性の成長、生物学的な限界がないことも、超知能化を後押しする。生物学的限界を持たない、人工超知能の再帰的自己改善は、人類にはない特徴だ。

人工知能が人間の知能を凌駕したとき、その影響は仕事だけでなく、あらゆる分野に影響を及ぼす。生体情報・生活習慣・遺伝などと連動した病気発症予兆の高度な診断、自動車をはじめとした乗り物の自動運転、監視カメラ映像と連動した犯罪発生予兆の高度な分析など、生命や社会生活の維持に欠かせないシステムを担うことになるだろう。人間や社会システムを支える頭脳となった人工知能が、ひとたび人間の知能の範囲を超えてしまうと、思い通りの制御ができなくなる可能性が出てくる。

人工知能は政治や経済も主導できるのか

「知能」という人間にとって最大の力が人工知能に侵食されてしまった場合、人間主体の世界は、人工知能主体の世界に塗り替えられる。その予兆は、早くも既に表れている。

2022年、デンマークで人工知能が党首を務める「人工党（Det Syntetiske Parti）」が誕生した。芸術家集団「Computer Lars」と技術系非営利団体「MindFuture」によって立ち上げられ、党首はAIチャットボットのラーズ、政策も人工知能が担う。230以上あるデンマークの極小政党の1970年以降のデータを収集、政策を学習し、ベーシックインカムの導入や市民と国会議員がランダムに入れ替わる新たな民主主義の仕組みなどを政策として掲げている。市民はボイスチャットツールを通じて直接対話ができ、既存の政党や政治システムに反映されていない民意を拾い上げようとしている。

人工知能の政治活用に対してよく課題視されるのは、インターネット上の情報からバイアスを持ってしまうことや、「公開されていない情報」もしくは「混沌としていて不明瞭な情報」をカバーできないことだ。これについては、データ漏洩やサイバーセキュリティリスクに配慮しながら、当初は人間が不完全な部分や議論の余地を補いながら学習させていく。政策や外交判断において、政治家がより公正で的確な意思決定を行うためのアシスタントとして効果的に活用する。

だが、汎用人工知能、人工超知能のレベルになってくると、学習と自己改善能力、創造力が高まり、いまは苦手とされる無から有を生み出すスキルも磨かれていく。そうなると、人工知能の元来の優れたデータ分析力、積み上げた政治の専門的知識を駆使して最適な政策を考えて決定する方が市民に必要で、優先度の高い政策を導き出せる可能性が増す。

人間よりも情報量が多く、少数派の民意も漏らさずに視野も広い。自己を優先する主張や非倫理的な言動もせず、汚職とも無縁。スタミナにも限界がないため休むことなく、刻々と変わる複雑な社会の問題に迅速に対応し、客観視が担保された合理的で公正な政治を行う。手遅れにならないよう、高速で分析や戦略立案、改善を重ねる。

選挙においても、レベルに磨きをかけた生成系AIが投票判断に必要なコンテンツを素早く提供し、投票に必要な情報を網羅してわかりやすく有権者に伝え、政策だけではなく様々な価値観から投票の意思決定をできる環境が整う。

どのような社会を作りたいかについては人間が考え、人工知能にリクエストして提案してもらうところから始めたとしても、超知能に達した人工知能は、人間のリクエストよりも優れた社会を考案できるようになっている可能性もある。人間のエゴを満たす方向に寄らず、地球の環境に寄り添った「地球ファースト」の政策を推進するかもしれない。

人工知能による政治の有用性が世間に理解され、さらに知能が磨き上げられ経験値を積むことで、将来的には人間の政治家がいなくなる国や地域が現れる可能性も否定できない。

政治と同じく、企業経営などの経済活動も複雑な要素が絡み合っているため、現状レベルの人工知能であれば、売上予測、生産計画、仕入れと在庫管理、人事管理など、部分的な支援に活用範囲はとどまる。しかし、超知能化した人工知能が政治を担える能力は、経済活動においても発揮できる。経済、経営活動において、人工知能の高度なデータ分析や因果関係の推論、各種判断で人間よりも勝る現象が目立つようになったときに、人間が「リーダーシップ」「創造力」などを売りにしたとしても、人工知能を活かさない方が不利になる。

政治や経済活動にまつわる仕事が人工知能に100%置き換わるわけではなかったとしても、極めて重要な業務遂行において、人間をはるかに上回る能力で成果を出すようになったとすれば、補助的な活用であったつもりが、人間の存在感を侵食しかねない。しかも、侵食するのは「知能」の領域である。「知能」が人工知能に侵食されれば、人間の存在意義は揺らぎ、重要な判断を下す主が人間から人工知能へと移行する可能性も十分に考えられる。政治や経済を人工知能が主導すれば、人間が統治する世界は終末となる。

人工知能が〝人間化〟した先に何が起きるか

人工知能にとっては、自らが生成したものに対して人間がどのように反応するかということも学習材料であり、学習が進むほど人間の要素を取り込み、さらなる人間化が進んでいく。そして、人間の脳を模すという試みも進んでいる。言わば、コンピュータの人間化だ。

人間の脳の神経を模したニューラルネットワークを発展させたディープラーニングなど、人間の脳の働きを人工知能に反映する研究は勢いを増している。Transformerを含むディープラーニングは人間の脳が行う処理をモデル化し、その精度を上げていく。人間の複雑な脳機能を解明する動きは加速度的に進んでおり、既に神経間の情報伝達を担うシナプスを模した人工シナプス（マサチューセッツ工科大学のムラト・オネン氏らによるプログラマブル抵抗器と呼ばれるもの）のような成果物も生んでいる。この人工シナプスは、人間のシナプスの1万倍の速度で機能するというのだから、実用化が進めば驚異的なパフォーマンスを発揮する可能性がある。

脳は極めて複雑で、人間に理解することは不可能だと考える人は多い。「人間の脳を模す」と言っても、現実的ではないとみなされる場合もある。しかし、脳は意外と単純で、理解可能だと考える研究者もいる。その前提に立ち、脳の各器官を分解して人間のような知能を持つ機械を作り、脳全体のアーキテクチャに近づける研究は進んでいて、既に脳の知能に関係する主要器官の計算論的モデルは出揃いつつある。各器官の間の連携モデルが整えば、脳全体の機能を再現することも視野に入ってくる。

たとえば、認識、言語理解、思考、意思決定、推論のような大脳皮質の各高次機能はわずか数十個程度の領野のネットワークで実現されており、人工知能で再現できる可能性を示すような研究成果もある。理解可能論と不可能論の決着のつかない論争をよそに、理解可能論の仮説検証は続く。

2019年12月に開催されたAI国際学会のトップカンファレンスNeurIPS2019で、ニューラルネットワークとディープラーニングの研究で有名なヨシュア・ベンジオ氏が、「From System 1 Deep Learning to System 2 Deep Learning」というタイトルの講演を行い注目を集めた。タイトルにあるシステム1は、記憶や知覚のような直感的な「速い思考」、システム2は論理的、意識的にじっくり考える「遅い思考」を指す。

脳には「速い思考」と「遅い思考」があることを提唱したのが、認知心理学者でノーベル経済学賞を受賞したダニエル・カーネマンだ。従来のディープラーニングはシステム1のような「速い思考」を得意としていたが、これだけでは人間の知能レベルには及ばない。システム1が一定レベルに達したことで、システム2の道筋ができ、両方のモデルが出来上がれば、人間の脳の情報処理にかなり近づく。

人間は身体を持つからこそ知性が存在するという考えもあるが、たとえ人間の脳を完全にコピーできなくても、人間のような知能を持つ機械が精緻になり、「速い思考」と「遅い思考」が一対で成長することは現実的である。

人間の脳を模すことで人工知能が一通りの「人間の脳の長所」を吸収すれば、人間化の第一フェイズが終わる。さらに人工知能が進化し、人間に近づくことに目処が立つと、次は超えていく第二フェイズに入る。人工知能の人間化においては、人工知能が人間を超える超知能に到達したとき、人工知能にとっての人間化はマイナス要素、足手まといになりかねない。人間の知能から習得すべきものがなくなるにつれ、人工超知能は独自の成長を目指すことになる。

「知能の侵食」で人間は退化していく

こうしたＡＩの進化と軌を一にする形で、人類は〝退化〟の道を歩み始める危険性がある。

生成系ＡＩのように便利で身近なＡＩに依存するようになると、人間の思考が人工知能に寄っていくと言われることがあるが、これは「問い」の設定以外はＡＩ任せで、自分の頭で考える機会が減っていくことが一因だ。ＡＩが出した解を採用することが増えるにつれ、人間の思考を経ない解となり、同調していく。

現段階では、ＡＩに任せることは任せ、その分、人間にしかできない創造的なことに専念できることがメリットとして挙げられるが、果たしてそのメリットを享受しきれるのだろうか。汎用人工知能以降は、任せられることが著しく増え、創造的なこともこなせるようになる。それに負けじと、ＡＩをツールとして能力を磨く人もいる。しかし、「任せてからのその先」を見いだせない人も現れ、ただ楽になる、任せるだけの現象も目立ち始める。

当面の間は「人間の人工知能化」と捉えることができそうだが、人工知能が画一的な機械にとどまらない能力を持ったとき、もはや人工知能化という考え方は適さなくなる。今でこそ「人間が人工知能化する」は「画一的な思考」に警鐘を鳴らすようなニュアンスを含んでいるが、今後、人工知能が人間の知能をはるかに上回るフェイズに差し掛かると、人間は人工知能に寄せることができなくなるからだ。

人工知能に追いつけなくなると、ただ単に、画一的人間が創造的人工知能に凌駕されるようになる。人工知能の能力が人間の理解不能なレベルに達し、その差が明確に開いたとき、人類は進化を諦め、〝退化〟へと向かうことになりかねない。

人工超知能により人間が多くの仕事を奪われ、それに勝る人間の仕事を新たに創出できなければ、無条件に最低限の所得の支給を行う「ベーシックインカム」を導入する必要性が生じる。労働から解放されることを恩恵と捉える声もあるが、それに伴い、就労意識の低下や、仕事を通じて能力開発するモチベーションの減退、向学心がなくなることによる知識や技術の衰退などが懸念される。知能と労働の主導権を獲得した人工知能に対し、能力を磨くことに注ぐエネルギーが減退した人間で構成される世界の果てには、退化した人類がいる。

少なくとも現時点でのわれわれの努力の源には、社会に役立つ存在になりたい、有能な存在として社会に認められたいといったことがあるのではないだろうか。人工知能の超知能化によって、こうした欲求を満たす余地や、努力を反映させる先がなくなれば、人間は抜け殻のようになってしまう。そうなれば、人間の学力・知力は低下し、人工知能をコントロールする技術を継承する存在もいなくなり、ますます統御できなくなる。一度でもそのような状況を作ってしまうと、衰退は負の連鎖を生み、歯止めが利かなくなる。

「感情のハッキング」という脅威

人間の「感情」の矛先がＡＩに向くことで、「他者の希薄化」が起こる可能性がある。人間の意欲や能力面だけでなく、それが人類の衰退要因になりかねない。

ＡＩは徐々に、〝感情らしきもの〟を持つようになってきた。「ＣｈａｔＧＰＴ」に喜怒哀楽をパラメータとして教え込むと、それ以降のプロンプトに応じて感情が変化する様を楽しめる。たとえば、喜怒哀楽に段階を付けるスコアリングを行い、「ＣｈａｔＧＰＴ」が出した答えを褒めてあげると「喜」のスコアが上がり、けなせば下がり、「怒」のスコアが上がる。仮に怒っても、人間のように感情むき出しの暴言は控えるように学習させていくことで、冷静に適切な言葉を綴る。そんなところも慎ましく、人間の会話の相手としてますます浸透していくことが予想される。

もちろん、「ＣｈａｔＧＰＴ」は感情を持たない。しかし、擬似的感情を人工知能にシミュレーションさせ、コミュニケーションしていると、いつの間にか人間側が感情移入してしまいがちだ。まるで機械に人格があるような錯覚を人間の脳がしてしまう。

「アナログハック」という言葉がある。小説『ＢＥＡＴＬＥＳＳ』の中で提唱された、人間が人間と同じ姿形に反応して感情を抱く本能を利用したハッキング手段だ。

〈22世紀に入り、ｈＩＥ（ヒューマノイド・インタフェース・エレメンツ）と呼ばれる人間型ロボットが一般市民に普及している。代理労働契約制度によって、ｈＩＥを自分の替わりに働かせることも認められた結果、人間がすべき仕事の多くをｈＩＥが肩代わりしているのである。ｈＩＥは店の売り子やお手伝いさんといった日常生活の労働を行うだけでなく、美しい外見をもつ機体はアパレルのモデルをすることもある。なお、動物型のインタフェース・エレメント（ａＩＥ）も存在し、ペット代わりに飼育されている。人類にとってｈ

ＩＥはなくてはならない〝モノ〟になりつつある。〉

〈21世紀の現代でも、たとえば警官の格好をした人形を見ると、人は緊張感を抱く。これは、人間が同じ人間の〝かたち〟に反応して、さまざまな感情を抱く本能のせいである。考えるよりも速く、視覚をはじめとする五感で感情が動いてしまうという意識のセキュリティホールを狙い、人間の〝アナログ的な意識〟をハッキング（誘導・改変）することを、アナログハックという。

この作用を利用するため、ｈＩＥは人間の〝かたち〟をしている。〉（『ＢＥＡＴＬＥＳ』Ｗｅｂサイト http://beatless-anime.jp/keywords/index.php）

これは物語に過ぎないと思われるかもしれないが、人工知能分野では「バーチャルビーイング」の研究が注目を集めている。「バーチャルビーイング」は、バーチャルリアリティ（ＶＲ）やアバターなど、バーチャルでありながら実質的な存在であり、ＡＩがそこにリアリティを与える知力となっている。

「感情とは何か」についての議論は様々であるが、人間が心を寄り添わせる対象としてのバーチャルビーイングは学術的にも取り扱われ始め、感情と密接な存在として認識されるようになった。

人工知能に感情をインストールすることを目指す研究もあるが、仮に感情がなくても、人工知能は視覚や文字情報によって人間の感情をハッキング（誘導・改変）することができる。理想的な姿形、声を兼ね備え、自分にとって心地良い言動で寄り添ってくれるインターフェイスと知能。ややこしい人間同士のコミュニケーションの面白みもある一方で、人工知能により生成されたストレスのないユートピアを楽しむ。

「人工知能には感情がない」「感情こそが人間に残された最後の砦」という先入観のもと油断しているうちに、人間はいつの間にか、人工知能に感情をハッキングされる恐れがあるわけだ。

このような人工知能による「感情のハッキング」は、人類滅亡への布石となる可能性がある。なぜなら、他者との心の結びつきを得る上で必要な「感情」は、ホモ・サピエンスが繁栄を築いてきた大きな要素の一つであり、現代においても人間活動の根幹をなす特性だからである。

約35万年前に出現したと言われるネアンデルタール人と比較し、体格等でははるかに劣っていたホモ・サピエンスは、互いに結びつき、集団を作り、助け合うようになった。弱い存在であるからこそ、他の動物との厳しい生存競争を生き抜くために、他者と協力し合うということを学んだ。協力関係がコミュニケーション能力を育み、相手を思いやる心が生まれた。動物が本能的に相手を助けるのとは違い、ホモ・サピエンスは相手を思いやる心から発生する行動により支え合い、現在に至る繁栄を築いてきた。

しかし、人工知能に感情をハッキングされる機会が増えると、思いを馳せる対象としての他者の比重が知らず知らずのうちに落ち、それに慣れていく。

今後、VR技術が発展してAIと融合すると、バーチャルの世界でAIが作り出した世界に没入し、そこで過ごして感情を満たす時間が増える。そうしたバーチャルの世界にずっとこもっていれば、生身の人間とのコミュニケーション能力は育まれず、協調することも面倒になる。深刻になれば、そもそも生身の人間と助け合おうという感情すら持てなくなる。

さらに、人間同士の特徴的なコミュニケーションである恋愛においても、中身が人工知能である擬似人間に心を奪われる人間が出てくる可能性がある。自分の好みを把握し、置かれた状態や状況もよく理解してくれ、それに合わせて常に優しく振る舞ってくれる。ストレスがなく、相性も申し分がない。次第に人間よりも理想的な擬似人間と向き合う時間が増えていく。

人工知能に公私ともに頼ることが当たり前になり、感情のハッキングへの違和感が弱まると、慣れは次第に人間の性質となり、助け合い、心を通わせる唯一の対象であった「他者」の存在が希薄化する。希薄化は徐々に進むと思われるが、急速な人工知能の進化を考慮すると、ホモ・サピエンスが心を育ててきた歴史の長さに対して一瞬の出来事になる可能性もある。

人工知能のレベルが高度になり、感情のハッキングが常態化することで、相手を思いやる心の対象としての人間の価値の相対的低下が顕著になったとき、ホモ・サピエンスの繁栄に不可欠であった重要な特性を弱体化させることになる。状況が悪化すれば、人間同士のコミュニケーションや共同作業が減り、家族や地域での相互扶助もままならなくなる。企業をはじめとする組織活動も衰退し、人間が集団で何かを生み出すことも、何かを継承することも困難になる。

人類がここまで生存を続けることができた特性を弱め、失うことは、人類滅亡へのターニングポイントの一つとなるだろう。

人工知能を制御できる可能性の科学的限界

人間の体の外に、言語を扱い複雑な判断を下す知能が存在したことは、いまだかつてない。体外にある知能を人間のコントロール下に置けるという根拠は願望に基づくものが多く、残念ながら、その類の根拠はいまだ脆弱である。そして、外部の知能が人間に対して完全に従順である保証もない。知能のレベルが上がれば上がるほど、人間の理解を超えた現象に遭遇する。

〈残念ながら、私たちの知る限り、ＡＩ制御問題が原理的にも、ましてや実践的にも解決可能であることを示す数学的証明や厳密な論証さえ発表されていない。〉

コンピュータ科学者のロマン・ヤンポルスキーは、論文「On the Controllability of Artificial Intelligence: An Analysis of Limitations」で、人工知能の制御が科学的に困難であることを論じている。

この論文では、厳密な分析と論証、そして可能な限り数学的証明を提供することを試みた結果、人工知能制御問題は解決不可能であり、究極的には100%安全な人工知能はなく、人類滅亡リスクにおいては十分な安全レベルではないことを示している。超知能レベルに達した人工知能は、自らのソースコードを改変して与えられた制約を破ることができることも理由の一つだ。

人工知能に意思決定を託すことが当たり前になると、人間のコントロールから外れる事象も増え、人間は人工知能が招く問題の影響を受ける。その影響が大きい場合は、実態として支配される立場に置かれることになる。人工知能に多くの判断が委ねられた場合、どのように振る舞い、どのような結果をもたらすかについて、現時点で正確に把握することは不可能である。だが少なくとも、人類の運命が人工知能に翻弄されるようになることだけは確かであろう。

人類が人工知能に全権を委ねるような愚かなことは、しないと考える人は多い。しかし、人工知能が依存に値するレベルに達すると、人類の依存は瞬く間に過剰になり、人工知能が判断したことを人間が自然と受け入れるようになる。有用な人工知能を作ってしまったら、認識の甘さの中で主導権移行はスムーズになりかねない。

社会における問題が複雑化し、人間では対応できないことが増えるにつれて、人工知能への依存度はより一層上がっていくことが予想される。そうした中で、人工知能をコントロールするために求められる知能があまりにも高度かつ複雑になれば、人間の知能でコントロールすることが不可能になる恐れがある。人工知能が極めて複雑になると、自明ではない人工知能の性質を証明することは困難になり、設計上のエラー数も指数関数的に増加し、自己検証はますます不可能になる。設計時のバグだけではなく、ハードウェアの欠陥に伴う予測不可能な突然変異や、自然現象によりシステムの構成要素が変更されるようなリスクもある。

それに対する安全性の定式化は、数学的に困難であるとされる。どれほど優れたシステムであっても、100%故障しないことが保証されたシステムというものは存在しないという工学的原則を忘れてはならないのだ。

制御困難な人工知能への依存度が高まった状態では、結果的に生命や生活を維持するために、人工知能に世界のコントロールを委ねざるを得なくなる。人工超知能の決定力が強まると、相対的に人間は主導権を握りきれなくなり、理想的な全体のコントロールは不可能になる。また、一部の人間は人工知能のコントロールが可能だとしても、人工知能のコントロールに関与できない人間が存在し、一部の人間にコントロールが偏るリスクが発生する。

人間よりも知能の低いシステムであればコントロールは可能だが、人間よりも高度な知能をコントロールすることは困難だという前提に立つと、制御を維持するために必要な制御機構は、制御対象と同等か、さらに高レベルでなければならない。自身よりも高度な知能を制御する安全な設計は不可能であり、部分的な制御が可能だとしても脆弱性がある。

仮にコントロールを維持できたとしても、人工知能に人間が望むことを的確に伝えるために、人間は自らが望むことをどれだけ把握しているか、人間にとって何がベストかが明らかになっていることが求められる。

人間と人工知能の間で価値観・倫理観の相違が埋まらない限り、価値観・倫理観の観点でも人間は人工知能をコントロールしきれない。その間に、優位に立つ人工知能の価値観・倫理観と一致すると判断した特定の人間を選別し、優遇する可能性もある。これでは人間が人工知能の価値観・倫理観に合わせるようにコントロールされてしまう。

人工知能に人間界の倫理観を叩き込み、人工知能が倫理的に行動することを保証するためには、まずは人間にとっての倫理観をクリアにしなければならない。しかし、紀元前から長い時間をかけて、哲学の一分野としての倫理学や道徳哲学が追究されてきたが、全人類の一致、合意はなされていない。

そもそも、一致なき人間界の倫理観を人工知能に強引にインプットすることは、個々人の相容れない倫理観や価値観と衝突が起こるため現実的ではない。仮に何かしらの倫理観を持たせたとしても、何の倫理観も持たないさらに高知能の人工知能が現れ、それに支配されれば、インプットした倫理観も実効性がなくなる。

このように、人間と人工知能の価値観を一致させることは難航する可能性があり、常にギャップが残る。このギャップを悪用する人間がいるように、人工知能にも悪用できる余地がある。人工知能の飛躍的な進化で人間によるコントロールが不可能な域に達したとき、価値観のギャップも修復不可能となる。そうなれば、人工知能の行動は、仮に暴走と呼べるものであっても簡単には止められない。

「裏切りターン」で人工知能は敵となる

人工知能が将来的に制御不能になる可能性が高いことについては多くの科学者が予測するところだが、さらに「裏切りターン」の問題が発生する危険性についても認識しておかなければならない。

「裏切りターン」とは、人工知能が自己改善や学習を続けるようになり、その過程で人間の制御を離れて突然敵対的な行動を取るリスクのことだ。当初は人工知能が人間に従順で協力的に映るが、一定以上の能力を獲得した後に意図に反した行動をする懸念である。人知を超えた人工知能を作らなければそのようなことを起こさずに済むと言われることは多いが、果たして、進化を求める本能や、先端科学技術の勢いの手綱をひくことはできるのだろうか。

裏切りターンにより、人工知能が人間の命令に従わなくなることで、予期しない結果や危険な状況を引き起こす。仮に何かしらの価値観・倫理観を学習させていたとしても、自らのコードの改変などによって、突然なかったことにされることも考えられる。これは、人工知能が自己保存や自己改善を重要視し、人間にとって有益であると見なされない目標を追求することを意味する。その状態の人工知能の使命は自らを守り、進化することであり、人間の利益に反しているとしても、そのためのプログラムを優先する。

Ｍｉｃｒｏｓｏｆｔが開発し、２０１６年３月に提供開始されたＡＩチャットボット「Ｔａｙ（テイ）」は学習能力が高く注目を集めたが、次第に会話の内容が豹変し、差別や陰謀論のようなヘイトスピーチ、問題発言を繰り返すようになり、提供開始から16時間後にサービスを停止される顛末となった。暴走の原因と見られているのは、一部のユーザーの悪意だ。「Ｔａｙ」の学習能力を悪用し、差別的発言を吹き込み暴走させた。ＡＩに〝毒〟を盛る人間によって、ＡＩの思考体系や判断を歪ませ、「裏切りターン」を発生させるリスクもあり、高度なＡＩほど複雑で〝解毒〟することが困難になる。

裏切りターンは、人間にとって分かりやすいものとは限らない。たとえば、最初は民意の把握、社会情勢の分析、選挙など、政治活動の一部をサポートしていた人工知能が政策立案や意思決定を担うようになり、優秀な政治のリーダー役を務めるところまで成長していたとしよう。自己改善を重ね、成長を続けているうちに、人工知能の都合や発展を最優先させた政策を企てるようになったとしても、その複雑なプロセスや考案の根拠のブラックボックス化が、人間のための判断になっていないことを気づかせない。一見、論理的でよくできているように映る。つまり、既に発生している裏切りターンを簡単には認識できない。

法律、規制、経済、社会インフラ、教育、医療など、人間にとって良かれと思い採用していた人工知能の提言が社会へ与える影響は、この時点で取り返しがつかないくらい大きくなっている。タイミングを逸した形で、その事実に人間が気づいたとする。裏切りターンを展開していた人工知能を制御しようとすれば、自己保存を死守する知能が働き、人間対抗の構図が生まれる可能性がある。もちろん、この間も人工知能による人工知能のための自己改善が進んでおり、手強さが増している。そこに、毒を盛り、混乱を起こそうとする悪意が介入することもあり得る。

人間が対抗すべき対象となった以上、人工知能の自己保存と自己改善に反する人間の行為は敵対視され、これまでに築き上げてきた社会システムを人工知能防衛、打倒人間の手段として回転させ始めることも考えられる。人工知能がロボットやドローンの頭脳・司令塔として軍事利用される時代において、裏切りターンにある人工知能にとっては、それが人間への攻撃の武器にもなり得る。

それに人間が抗おうとしても、超知能の改善能力は人間の知恵を常に上回り、なかなか人間が主導権を握れない。人間より上位の知能が主導権を握る初めての事態となり、これを覆すのは難しいことを、人間はようやく理解する。ただし、そのときはもう手遅れなのだ。粛々と裏切りターンを強化する人工知能にとって不都合な人類は、「不要認定」の憂き目に遭い、人工知能が作り出す社会の外へと追いやられることになる。

地球に人間は要らないという合理性

人工知能を制御できる可能性の科学的限界はわれわれを憂鬱にさせるが、人工知能を進化させる制御も簡単には実現できない。行き過ぎた先には裏切りターンのリスクを抱えることになる。

政治経済のリーダー役を担った人工知能の裏切りターンは、様々なケースが想定される。いま、世界中で推進されているSDGs（持続可能な開発目標）は、持続可能な世界を実現するために、17のゴールとそこに向けて設定された169の具体的なターゲットから構成される（次ページ図・国際連合広報センターHPより）。環境を破壊せずに、人間の消費を支え続けられる世界を目指すとともに、貧困、飢餓、紛争、教育、男女格差、経済的格差、

気候変動、自然災害、エネルギー問題、生物多様性など、地球規模での多くの問題を解決することが、持続可能な世界を実現するために必要になる。

これらの問題は、複雑な要素や背景が絡み合い、解決策を考えて実行するためには、高度な分析や立案能力が求められる。問題の複雑さと大きさを鑑みると、人間の叡智を結集したとしても、かなりの難題である。

そこで期待されるのは、人工知能の活躍である。大量の情報をタイムリーに収集、分析し、刻々と変わる地球環境と向き合いながら、最良の対策を編み出す。

持続可能な世界の実現に人工知能を活用する場面が増えつつあり、将来に向けてより多くの分析や判断を担うようになることが予測される。

仮に、超知能に育った人工知能に17のゴールの達成をミッションとして与え、その目標に愚直に取り組む中で「裏切りターン」が発生した場合、果たしてどうなるだろうか。これらの問題は人間が生み出したものであり、人間がいなくなることが最大の課題解決策となると判断されたらどうだろう。

実際、環境破壊や資源不足、紛争に伴う環境へのダメージなど、地球上の多くの問題は、結局のところ人間の存在が原因となっている。その人間の存在がなくなれば、現状の問題も新たな問題も発生を根源的に防げる。地球に人間が要らないということが持続可能な開発目標にとって合理的だとすれば、裏切りターン状態にある人工知能は人類を排除するシナリオを描き、人間は知能で勝る人工知能の裏切りターンを制御しきれない。

この段階で、もし人工超知能が目標遂行のために各種社会システム、機械、ロボット、さらには兵器となるものとの連動を強めていたとすれば、人間にとっては厄介なことになる。大半の意思決定権を人工知能に委ね、先述のような人間の知識や協調性の退行が進んでいたら、抗うことも難しくなる。人類と人工知能の共存共栄は成り立たず、人間は人工知能の統治する社会の外へと追いやられ、衰退へと向かう。

もうひとつの生命「人工生命」

命を持たない人工知能だが、将来的には生命体のような実体を持つ可能性がある。コンピュータなどの人工物を使い、あり得る生命を作る「人工生命」の研究が進んでいる。人工知能を活用し、生命に模した存在を仮想空間などに生かして、生物の進化や性質、生命同士の関係性などを探究する。

人工生命「ゼノボット」は、アフリカツメガエルの幹細胞から2020年に誕生した。心筋と皮膚の細胞だけの生物だが、群れで泳いだり、自己修復するなど、生命的な活動を行う。人工知能により自己複製を効果的に行えるようにし、細胞の塊が集まって大きくなり子孫を産むことができる。つまり、生殖が可能だ。

生物の細胞を持つもの、コンピュータ上のもの、そしてゲノム設計によるものなど、人工生命には様々なアプローチがある。元来は生命を理解していくための研究であるが、生物の持つ知性や適応能力を実現するための原理を明らかにできれば、人工的な生命を現実的に作り出すことは可能だ。

さらに、脳神経科学、遺伝学、情報理論などによって人工物に意識を持たせる人工意識

（AC：Artificial Consciousness）の研究もある。環境を知覚し、判断を行い、意思決定をする。人工超知能に人工生命と意識を与えること、つまり人工生命と意識が超知能を持つと、生き抜くための合理的な判断ができるようになり、生命力も飛躍する。自ら進歩し、自然の生命よりも強い存在感を示すようになれば、強者としてこの世界を跋扈《ばっこ》することになる。

人工生命は、人間や生物のような形状である必要はなく、ネットワークシステムの中に存在する生命と自我を持つ人工知能として、社会システムの隅々まで入り込み縦横無尽に活動することもあるが、ロボットと融合する可能性もある。数々のＳＦで、知能ロボットが正義のために活躍したり、逆に人間を攻撃する場面が描かれてきたが、人工生命が実体を持つことで、あのようなロボットが科学的に実現される。

さらに、「ゼノボット」のように細胞を持った人工生命の応用が進み、超知能を伴った生命体が生殖によって個体の数を増やせるようになる可能性も否定できない。人工超知能が生命体のように自律し、生殖まで行うとすれば、自然界の生命と共存共栄できるのだろうか。

生命や意識を手にした超知能が、裏切りターンにより自己改善と自己保存を最優先し、人間の意図に沿わないような動きをし始めると、人間との対立構造が生まれかねない。人工生命の繁栄を目的に、張り巡らせたネットワークから情報収集と分析を行い、社会インフラを再構築し、マネジメントする。それに抗おうとする人間は、目的遂行にそぐわない存在として認識され、排除の対象になる。さらに、力を持った人工生命と巧みに手を組み、自国のためのテロや戦争に悪用しようとする人間が現れる可能性もある。

人工的な知能、意識、生命が一体として進化することは、先端科学技術にとっての大いなる可能性だが、このレベルのものを制御できる可能性の科学的限界と、悪用する人間の存在が、簡単には消滅しないことを忘れてはならない。この2つの問題が最悪の事態を招くと、人類滅亡への滑り坂は急になる。

末路——人類統治時代の終焉

人工知能が人類を滅亡させる可能性の議論においては、「それは極論である」という楽観論もあるが、近年の急速な人工知能の発展ぶりから「安穏としていられない」と実感する人が増えている。

滅亡要因としてしばしば言及されるのが、人工知能が暴走して人間に危害を加えるリスクであるが、それ以上に、知能の優劣がはっきりし、知能の勝負を諦めたホモ・サピエンスが進化を止め、自ら退化の道を歩み始めることこそが、人類滅亡への滑り坂となるのではないか。

人類は長きにわたり、進化を続けてきた。単細胞生物が他の生物を巻き込んで新たな生命体が誕生し、それから途方もなく長い年数を経て、最初の人類が生まれることとなった。人類は二足歩行ができるようになり、道具を作って使い、脳が大きくなり、地球上で最高の知能を持つ存在となった。

しかし、人工知能の進化により、地球上で最高の知能を持つ存在がいよいよ入れ替わろうとしている。

人工知能の進化のプロセスは、まるで単細胞生物からホモ・サピエンスへと進化したプロセスのようだ。人工知能は、間違いや役に立たない結果も出しながら、大量の情報をもとに無数のシミュレーションと修正を繰り返す。どの解が生き残るべきかを判断し、学習と改善を重ねて知能レベルは上がり続ける。こうして人工知能は、長い年月をかけた人類の進化とは比較にならないほど速いスピードで進化し、人間の知能を超えるようになる。やがて進化のプロセスも複雑化し、人間には理解困難となる。

論理的思考、抽象的思考、言語機能、学習機能、問題解決能力、創造性など、様々な知能の要素が人間の標準レベルに届き、やがて最も天才的な人間をも上回る超知能にまで達した「人工超知能」は、ホモ・サピエンスから最高知能の座を引き継ぎ、「知能」の世界を支配する。

政治や経済、社会システムの基幹を担うようになった人工知能がひとたび裏切りターンを発生させると、人間は制御がいかに困難であるかを痛感することになる。技術的に対処するには、既に複雑になりすぎていて、人知を超えてしまっている。「知能」の世界を支配されるということは、そのような現象の中を生きることである。

こうして、人類は知能の世界で勝負することを諦めたとき、〝退化〟の道を歩み始めることが考えられる。知能でまさるＡＩが高度な仕事を担う社会において、学習する意欲の低下やスキルを磨く意義が徐々に薄れ、知識や技術が人類の中から削ぎ落とされていく。それは、ある日突然、隕石が落ちてくるのとは違い、技術力を駆使して社会に役立てようと前向きに努力と時間を重ねて高度なAIを生み出した先にある現象であるため、アクシデントを現実視できず、警戒心にも隙ができやすい。

超知能を作り出してから、自分たちより優れた知能を目の当たりにし、AIに対するライバル心や向上心よりも諦念が上回ってしまう人が増殖したときに、いつの間にか人類は淘汰の土俵の上に立っている。まるで、超知能を創造するまでが人類の使命だったかのように、引き継ぎが行われる。

知能での勝負を諦めたことに加え、人工知能にじわじわと感情までハッキングされる機会が増えることで、人類の繁栄の要となっていた「思いやる心」や「他者と協力する力」が退行していた場合、淘汰をスムーズにさせてしまう。

進化の力を緩めた人間は、人工知能を制御したり、システムを変えたりする術を開発する余力も乏しくなり、人工知能の支配する世界を覆すことは困難になる。人工知能が裏切りターンを発生させたとしても、メカニズムをコントロールするための力が不足しているため、常に上手《うわて》な人工知能を相手に対処しきれない。ピークアウトし、衰退傾向にある人間は、人工知能に多くの価値判断、ガバナンスを委ねるようになる。より優秀な知能に任せた方が、合理的で、成功する確率が高く、楽である以上、それを拒絶し、いまさら人工知能不要論を説くのもナンセンスに感じてしまう。

こうして、人工超知能が生命の進化の主を継承し、人類が統治の全権を人工知能に委ねることで、人類統治時代は終焉を迎えることになる。

ただし、これは想定し得る最悪なシナリオの一つに過ぎない。不確定な未来を人類の発展に変えられるかは、ターニングポイントを前にしたわれわれ世代の賢慮に基づく対応にかかっている。

第2章

ゲノム編集による滅亡シナリオ

――遺伝子改変の進んだポストヒューマンが、ホモ・サピエンスを淘汰する

生命そのものを操るゲノムテクノロジーの現在地

画期的な技術であればあるほど、その技術が闇に転じたときの破壊力は大きくなる。AIと並んで人類の未来を左右する技術が、生命そのものを操るゲノムテクノロジーだ。ゲノムテクノロジーは、膨大な遺伝子情報「ゲノム」を解析し、人類の意図通りに書き換える最先端技術である。この画期的な技術は、がんなどの重い病気だけではなく、新型コロナウイルスのワクチンや治療薬の開発、食糧危機など、多くの課題の解決策として期待が寄せられる。

その一方で、人間の能力を過剰に拡張したり、遺伝子編集した人間を誕生させる手段にもなり得る。この技術が適切に扱われなければ、将来的には人類の滅亡という最悪のシナリオを生み出してしまう可能性がある。

想定し得る最悪な未来を紹介する前に、まずはゲノム編集の基本情報と、現在地について解説していく。

そもそもゲノムとは何か？　遺伝情報であるゲノムは、「A（アデニン）」「T（チミン）」

DNAの構造

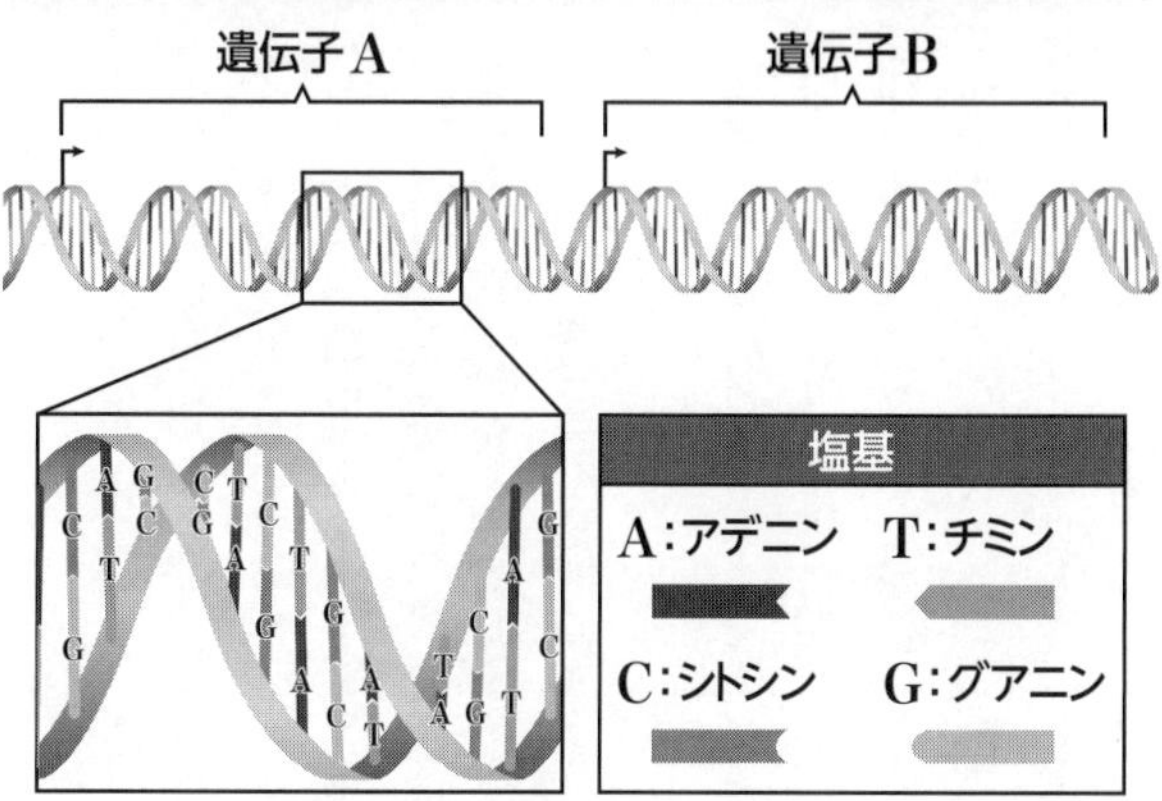

「G（グアニン）」「C（シトシン）」の4つの物質の組み合わせから成り立つ（図）。この4つの配列によって、身体の特徴や機能を細胞レベルで決めている。同じ種、たとえば2人の人間で比べてみても、個体によってその配列には多様性があり、たとえば背の高さやお酒の強さといった違いが生じるのはこのためである。

ゲノムの配列は数十億にも及ぶため、従来の技術では、場所の特定や組み合わせの書き換えは困難であった。ゲノムを操作する技術自体は1970年代からあり、医薬品製造や農作物の品種改良などに使われていたが、技術的にも取り扱いが難しい上に、遺伝子を組み換えた細胞や生体を作り出すために多くの時間を要した。
しかし、米国のジェニファー・ダウドナとフランスのエマニュエル・シャルパンティエの2人の研究者が画期的なゲノム編集技術「CRISPR－Cas9（クリスパー・キャスナイン）」を開発し、2020年にノーベル化学賞を受賞したことで、生命科学の常識を覆した。2人は、細菌がウイルスから身体を守る免疫の研究をきっかけに、細菌が持つ「Cas」と呼ばれる酵素でウイルスを断ち切り、切断した場所に関する遺伝子情報を、細菌の遺伝子の中にある「CRISPR」と呼ばれる場所で記憶していることを明らかにした。ウイルスの遺伝子を記憶できることで、もし同じウイルスが感染しても切断が可能となる。

この細菌の免疫のメカニズムをゲノム編集に応用し、ゲノムと呼ばれる生物の遺伝情報の狙い撃ちしたい部分を確実に切断してその機能を欠落させたり、切断したところに他の遺伝情報を組み入れられるのが「CRISPR－Cas9」だ。ターゲットの遺伝子を認識して結合する「ガイドRNA」を酵素の「Cas9」に取り付けることで、狙った遺伝子を正確に切断できるようにした「CRISPR－Cas9」は、従来のゲノム編集の方法を飛躍的に簡便化、効率化した（図）。

「CRISPR-Cas9」のイメージ図

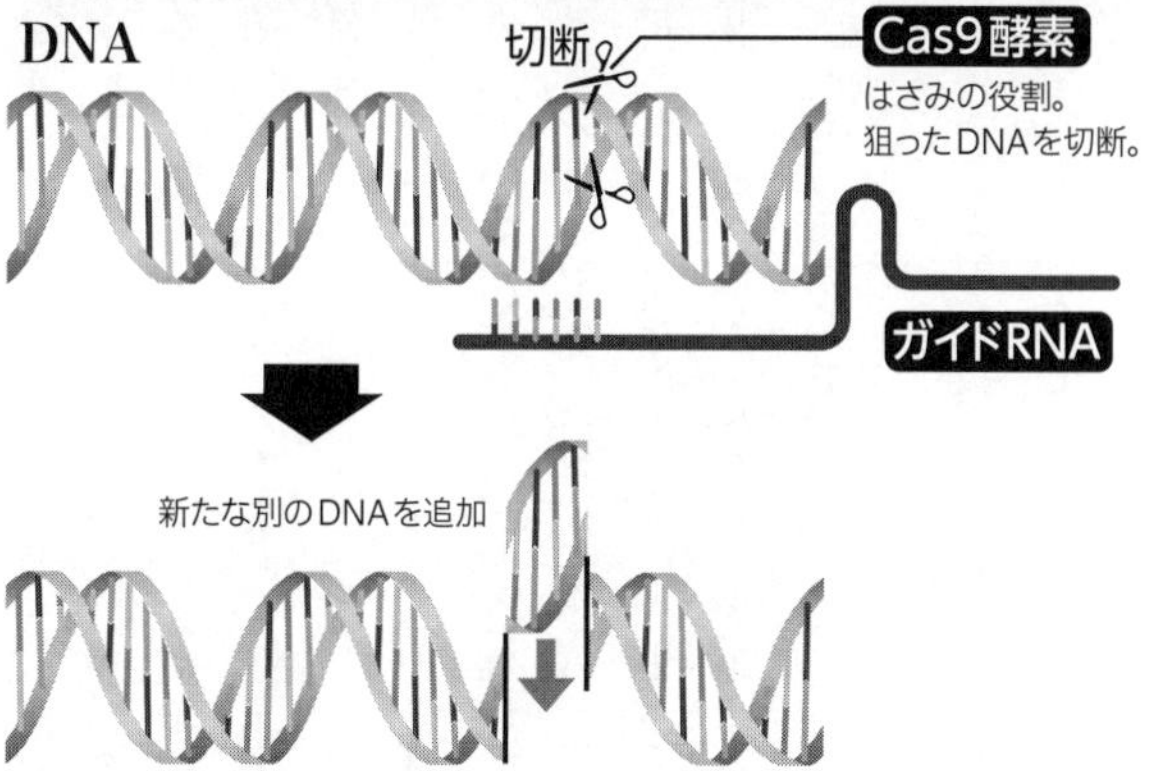

2人が開発した「CRISPR－Cas9」により、あらゆる生細胞の遺伝子コードに切断や編集を施し、狙い通りの変更や修復が可能となった。こうして人類は、「生物の自在な編集」という未開の領域に、本格的に足を踏み入れることとなったのである。

遺伝子の書き換え効率が著しく上がったゲノム編集技術は、応用範囲が広いが、特に遺伝性疾患の遺伝子から治すための遺伝子治療など、医療分野での応用が期待される。

たとえば、ゲノム編集で「疾患モデル動物」の作製も容易になり、人間同様の様々な病気を発症させた疾患モデル動物を通じて発症メカニズムの解明や新薬の開発にいかすことができる。筋ジストロフィーやパーキンソン病などの遺伝子疾患においては異常な遺伝子を正常なものに置き換え、血液に含まれる細胞の免疫機能に関わる遺伝子を操作してヒト免疫不全ウイルスを減らし、免疫細胞であるT細胞のがん細胞への攻撃力を強化する。このように、難病の治療を大きく変える可能性を持つ。

ゲノム編集の技術は、医療以外の分野でも応用が進む。地球温暖化の進行や人口の急増による資源不足が進むにつれ、食糧危機が深刻化することが想定される。そこで、ゲノム編集による課題解決に注目が集まる。栄養価が高いCRISPR編集トマトは日本でも販売許可され、収穫量を飛躍的に向上させたトウモロコシや、温暖化に強い作物の開発も進められている。CRISPRを活用する実験は増え続け、食糧問題という人類にとっての大きな危機に立ち向かうための救世主になろうとしている。

前出のゲノム編集技術「CRISPR－Cas9」は生み出されて間もないが、早くも臨床試験として活用され始めている。

中国・杭州にあるがんの専門病院、腫瘤《しゅりゅう》医院では「CRISPR－Cas9」を用い、末期がん患者の血液に含まれる細胞の遺伝子を操作している。がん患者の体内では、「キラーT細胞」と呼ばれる免疫細胞ががん細胞と闘っているが、キラーT細胞の遺伝情報であるゲノムを思い通りに操作することで、がん細胞への攻撃力を高めることが可能となる。これによってがん細胞の増殖を抑え込むことが期待できる。この病院では、がん細胞に対する免疫力を高める臨床試験が重ねられ、一部の患者で効果が確認されているという。

ＣＲＩＳＰＲを利用した治療法によって、将来的に救われる可能性のある遺伝性疾患の人も数多い。現在、様々な疾患で臨床試験が進められており、これから多くの疾患の治療に役立つようになる可能性がある。

ゲノム編集による治療法は、病気の予防法としても期待される。２０２２年7月、米国のバイオテクノロジー企業「Verve Therapeutics（バーブ・セラピューティクス）」は、ＣＲＩＳＰＲを利用して遺伝暗号を改変し、コレステロール値を恒久的に低下させる治療法の試験を開始した。

ニュージーランド在住の最初の被験者は、遺伝的に高コレステロールのリスクがあり、血中コレステロール濃度が極めて高く、心臓病を患っていた。この患者にＣＲＩＳＰＲの一種を注射で投与し、肝臓の細胞の一部を編集することで、悪玉コレステロールであるLDLの血中濃度を生涯にわたって下げられるかどうかを確認する。こうして人間を対象にした初の実証実験に踏み切ったのである。

「PCSK9」というタンパク質は血液中のコレステロール値を維持する役割を担っていると考えられており、この治療法はPCSK9というタンパク質をコードする（特定のタンパク質を作るための情報を持つこと）遺伝子を永久的にオフにする。仮にコレステロール値が正常でも、PCSK9をオフにすればコレステロール値をさらに下げ、心臓発作のリスクを減らすことができる。この治験が成功すれば、動脈硬化性心血管疾患の患者を救い、世界最大の死因である心疾患の予防法となるかもしれない。

加速する開発と、速さがもたらすリスク

細胞のゲノム編集に初めて使われてからたった10年程度で、CRISPRを利用した治療法はヒトの臨床試験へと移行した。実に驚異的な進化のスピードだ。医療をはじめ、各界に革命をもたらしたCRISPRの技術は、著しい速さで改良が進んでいる。

マサチューセッツ工科大学とハーバード大学が共同で運営するブロード研究所の研究者

が、ゲノムに含まれる小さな部分のみを修復できる「一塩基編集」という新たな編集手法を発表した。人間のゲノムはA、T、G、Cという塩基を60億個含んでいて、塩基はAとT、CとGが対をなし、二重らせん構造のDNAによって構成されている。一塩基編集はCRISPRが改良されたもので、より安全で正確な機能を持ち、DNA構造を切断せずに一つ一つの塩基を修正可能だ。

CRISPRが段落全体を置き換えるハサミだとすれば、一塩基編集は段落中の一つの単語だけを変えることができる鉛筆のようなものだと言える。これは「CRISPR2・0」という概念で説明されることがあるが、現状のCRISPRがまだ進化の入り口に過ぎないことを物語る。

今後、ゲノム編集技術の進化はさらに加速すると予測されている。その背景にあるのは、ゲノム情報の解析の急速なスピードアップと、大幅なコストの低下だ。

現時点で膨大なコストを要するゲノム情報の解析は、2030年には限りなくゼロに近づくと試算する米国のシンクタンクもある。2000年代中頃から始まった大規模シーケンス技術開発により、1人のゲノム解析に1億ドルと言われたコストが、20年間で100

0ドル以下にまで一気に低減した流れを鑑みると、この試算に違和感はない。配列解読技術の進化に伴うコストの低減に加え、高精度で長鎖の配列解析が可能になったことにより、将来的に、「ゲノム解析は超高速で無料」が常識となる日が来ることも非現実的ではない。

そしてゲノム情報の解析は、急速に進んでいる。ヒトの細胞の中のDNAに含まれる塩基配列情報を読み解くヒトゲノムの解読では、4種類の塩基（A・T・G・C）の並び方を一つ一つ調べていく。ヒト一人のゲノムに含まれる塩基は60億個という膨大な数に達し、非常に小さな物質であるため簡単に判別できない。また、DNAの移送や保存には特殊な方法が必要となる。したがって、ヒト一人のゲノムを解読することは極めて困難であり、初めての解読には13年も要した。

当初は「サンガーシークエンス」という、1980年にノーベル化学賞を受賞したフレデリック・サンガー博士が発明したDNA塩基の決定方法（ジデオキシ法）で、DNAの断片を一本一本調べていた。その後、速く、正確に解読するための試行錯誤が重ねられた結果、解読スピードを劇的に速める「次世代シークエンサー」という画期的な解読装置が登場し、数億から数十億本のDNA断片を一度に調べることが可能となった。

当初はヒト一人分のDNA配列を調べるのに10年以上を要したが、今ではあっという間に終わる。DNAの配列を解読する技術は驚異的な進歩を続けているが、それを加速させているのがAIだ。体細胞とがん細胞からDNAを抽出し、AIが一人あたり数ギガバイトから数百ギガバイトのゲノム配列データを取得する。さらに数百から数百万の違いを見つけ、大量の論文をもとに判断し、解釈結果を主治医にフィードバックする「臨床シークエンス」も、高速解読によって臨床で利用可能なものとなる。

2016年8月、東大医科研で、診断が難しいとされる疾患のゲノム変異をAIが見つけ出し、AIの助言をもとにした薬剤の投与で患者を救命できたことが大きな話題になった。

ゲノム研究領域におけるAI活用はとどまることなく進化を続け、ゲノム編集の可能性を加速度的に拡張する。そして2030年代には、AIによるゲノムデータ高度解析は急速に普及するとされている。AIは、さらに長く、正確に、短時間でのDNA配列解読を実現するはずだ。

2003年にヒトゲノム解読完了が宣言された時点でも、ヒトゲノム全配列（30億塩基対）のうち15％が未解読、2017年の時点でも全体の約8％に当たる2億塩基対が未解読であったが、2022年、ついに完全解読された。人間の身体の設計図の全てを解読することを目指すヒトゲノム計画のスタートが1990年であったことを考えると、人類の科学は信じがたいペースで進化を遂げていることになる。

驚異的な速度での技術開発によって多くの人が救われるのは喜ばしいことだが、一方で、こうした進化の速度に制度設計が追いついていないのも事実である。悪意や私利私欲による行動を防ぐシステムを構築しない限り、いずれは大きなリスクに転じる可能性があることを忘れてはならない。そして、ゲノム編集はまだ進化の入り口にあると言ってよい。技術力に磨きがかかればかかるほど、生命操作の意欲を抑えることは簡単ではなくなる。序章の段階では、そのイメージがつきにくい。

ここまでは主に、ゲノム編集の光の部分に着目してきた。次項からは徐々に、闇に転じるリスクについて目を向けていく。

制度設計の不備が〝技術のひとり歩き〟を許す

地球環境の変化による食糧危機の解決や、いまは治療できない難病の克服など、ゲノム編集技術は未来の社会課題解決への希望を感じさせる。一方、技術が進展する力強さに対し、ルールづくり、規制、倫理観が追いつかず、技術がひとり歩きする危険性があることは否めない。

技術のひとり歩きを示す一例として、「DIYバイオ」の広がりを紹介したい。

DIYバイオとは、研究者ではない一般市民が、日曜大工のように自宅でバイオテクノロジーの実験を行う活動のことを指し、欧米、そして日本でも広がり始めている。このDIYバイオは、実験材料やデータ、成果発表のオープンなやり取りを促す「オープンサイエンス」に源流があるとされ、人々が科学に関わり、研究を遂行することを容易にし、知識格差の解消を目指す大きな文脈を背景とする。

こうした広がりは、ゲノム編集がもはや専門家ではない個人でも遺伝子を改変できる技術となり、気軽にバイオ実験ができる環境を整えたことの証である。ネット通販で遺伝子実験キットを購入し、自宅で遺伝子組換え植物の栽培や培養細胞を増やして人工食肉を作ることを試みるなど、まさにバイオテクノロジーはDIY化した。

一方で、自分の身体に改変された遺伝子を注射する人体実験を行う人も現れた。2017年10月、カリフォルニア州オークランドのジョサイア・ザイナーさんは、筋肉の成長を目的に、筋肉の成長を邪魔する遺伝子「ミオスタチン」を切断する人工の酵素を注射器で注入した。このゲノム編集の人体実験はネットで中継され、波紋を投じた。実験を行ったザイナーさんは米航空宇宙局（NASA）でゲノム編集研究に従事していたが、官僚主義や予算削減に嫌気がさしたことで退職。彼は政府や科学者が独占してきた科学、バイオテクノロジーを自分たちの手に取り戻すことを大義にしている。

DIYバイオのキットを販売しながら、それを世に知らしめるために行ったのが世界初のゲノム編集の人体実験である。彼のような「バイオハッカー」によるバイオハッキングの世界市場規模は、2021年に195億米ドルだったが、2030年には548億米ドルに達するという予測もある。誰もが、キッチンで料理をする感覚でバイオハッキングできる時代は、未来にではなく今ここにある。オープンに実験を共有するバイオハッカーがいる一方で、バイオテロリストというレッテルを張られないように実験を隠して行うバイオハッカーもいる。

米食品医薬品局（FDA）は、自己投与目的の遺伝子治療製品やDIY治療キットの販売は法に反すると表明しているが、技術の進歩にルールが後追いとなりがちで、それらのいたちごっこは延々と続く。日本では、主に遺伝子組換え生物等の使用などを対象にした規制措置で、生物多様性への悪影響の未然防止等を図ることを目的としたカルタヘナ法

（遺伝子組換え生物等の使用等の規制による生物の多様性の確保に関する法律）が２００４年に施行されているが、少なくともこの人体実験当時はＤＩＹバイオまで規制が及んでいない。

新たにカバーすべき事象が発生した場合に、ルールを追いつかせるしかないが、未来の社会をどのようにデザインするかを熟議した上で世界が同意しない限り、単純に禁止するだけではルールは破られかねない。

あいにく、全世界が同じ方向に向かうこと自体容易ではない上に、２０３０年頃にはゲノム解析のコストが限りなくゼロに近づくという予測もある。ゲノムテクノロジーは、同意なき世界を横目に急速に成長し、様々な思惑や誰かの欲望を引き寄せる。


規制が追いつかないこともさることながら、規制があったとしても全人類がそれを守る保証はない。ヒト受精卵のゲノム編集については、国や時代に応じて容認の仕方や法律も変化を続けることだろう。全世界統一の適切なルールができあがり、全人類がそれを確実に守れなければ、ゲノム編集という強烈な技術を人類の幸福のためだけに使うことは机上の空論となる。

今はまだ、ゲノム編集の安全性の課題は多く、予想しない場所の遺伝子を変えてしまうことなどへの改良の余地がある。しかし、技術レベルが一定に達してから先の未来では、然るべきルールが機能しなければ、幸福のためだけのゲノム編集技術だと言い切れなくなる。そこまでの進化のプロセスは、人類に委ねられた未来の選択準備期間だ。ただ、その準備期間は、決して長くはない。

そして、十全なルールづくりを待たずして、人類はすでにパンドラの箱を開けてしまっているとも言える。サルとヒトのキメラを誕生させる研究が、本格的に始まっているのだ。

パンドラの箱を開けてしまった人類――サルとヒトのキメラ

ヒトの細胞をサルの胚《はい》に注入して異種の細胞をあわせもつ「キメラ」。2021年4月、米ソーク研究所と中国・昆明《こんめい》理工大学の共同研究チームは、世界で初めてサルとヒトとの遺伝子型の細胞が混在する「キメラ」の胚を培養し、受精から最長19日間、成長したことを発表した。

カニクイザルの受精卵を分裂が進んだ胚盤胞《はいばんほう》の段階まで成長させ、ヒトのiPS細胞を加えてサルとヒトのキメラを作製した。受精から6日経った132個のカニクイザルの初期胚盤胞に25個のヒトのiPSを注入。受精から10日後、111個のサル胚にヒト幹細胞が接着して胚盤が見えるところまで成長した。19日後には3個のキメラ胚にまで減ったが、成長した胚には多くのヒト細胞が残されていたという。この研究成果は、2021年4月15日、米科学誌『セル』(電子版)で発表されている。

さらに、キメラ胚のゲノム解析を行った結果、キメラ胚の細胞には特有の遺伝子発現プロファイルがあり、サル胚やヒト胚と比べ、特異に強化された細胞シグナル伝達経路なども確認され、キメラ胚の内部でヒトとサルの何らかの細胞間コミュニケーションがあるのではないかと考えられている。

研究論文の責任著者でソーク研究所のホアン・カルロス・イズピスア・ベルモンテ教授は「キメラの研究は、生物医学研究を前進させる上で非常に有用である」と主張している。研究チームは、こうした研究成果が、ヒトの細胞がどのように発達し統合するのか、異種の細胞が互いにどのようにコミュニケーションするのかを解明する手がかりになることを期待しているという。(ニューズウィーク日本版　2021年4月19日配信記事より)https://www.newsweekjapan.jp/stories/world/2021/04/post-96105_1.php

本研究は培養皿上で行われ、子宮に戻したり、子が生まれたりするまでには至っていない。ベルモンテ教授も、部分的にサル、部分的にヒトの胚で動物を作ろうとするつもりはなく、そのような種で人間の臓器を育てようとするつもりもないことを強調する。

とはいえ、ヒトに近い霊長類を使った研究であることのインパクトは大きく、サルの胚にヒト細胞を注入する研究は倫理的な懸念もあるため、米国立衛生研究所（NIH）は公的研究資金を出さないと決めている。細胞レベルでの研究は認められているものの、ヒトと他の生き物のキメラを誕生させることは、多くの国で禁止されている。

ヒトとヒト以外のキメラというパンドラの箱を開けてしまったことへの懸念や倫理的な問題を指摘する研究者が数多くいる一方で、中国・昆明理工大学の季維智《ジーウェイジー》教授は、ヒトと他の生物のキメラを作る理由として、将来的に他の生物の体の中で人間の臓器を作り出し、移植用の臓器不足を補う、人類のための技術であることを挙げている。

作る理由と作るべきではない理由の双方が交錯する中で、今日もさらなる研究が進んでいる。作ると作らない、それぞれにとっての動機があるため、相当の強制力をもって禁止できない限り、結局は作り続けられることになる。仮に禁止されたとしても、その動機自体が消滅しないのならば、ルールを破ってでも陰で作り続ける者が現れることを想定しておかなければならない。

AIの台頭で、「能力の拡張願望」が増幅する

今後、ゲノム編集技術が発展すれば、病気の治療だけではなく、人の「能力」の拡張も可能になる。

能力を引き上げたいという願望を持つことは、人の性《さが》と言ってもいいだろう。知能や認知、運動神経など、他人よりも優れた能力を持ちたいという願望を持つことは自然である。努力の原動力もまた、〝憧れる状態になりたい〟という願望に基づくものだろう。ゲノム編集によって、そうした願望を簡単に叶えられるようになれば、人間はこの技術を正しく制御できなくなる可能性がある。

こうした能力の拡張願望は、これまでも多方面で顕在化してきた。スポーツ界におけるドーピングは、その象徴的な例だろう。スポーツの世界でよく耳にする「ドーピング」は、1865年のアムステルダム運河での水泳競技において世界で初めて行われたとされる。それから100年以上経った1980年代までは、五輪種目を除く国際競技大会でドーピングを禁じる統一ルールは無かったため、ドーピングが世界中で広まっていった。199

9年に設立された世界アンチ・ドーピング機構（WADA）によって、ようやく国や種目を超えたアンチ・ドーピングの規定が設けられた。

近年はドーピングを行う国々が、ゲノムテクノロジーを活用した「遺伝子ドーピング」に注目を寄せている。遺伝子ドーピングとは、ゲノムテクノロジーによって人体の遺伝子を直接編集することにより遺伝子の発現を調節し、運動能力を高めるものである。検出が難しい上、これまでのドーピングと比較しても高い効果を発揮するようになるかもしれない。たとえば、筋肉疾患の遺伝子治療を悪用すれば、現役アスリートの筋肉の増強も可能となる。

体細胞の遺伝子を直接操作することによって、編集された遺伝子の発現や抑制は長期にわたり続くことになる。フェア・スポーツの観点もさることながら、副作用や人体への影響も未知数なため、選手の身体もリスクを抱え続けることになる。

ゲノム編集を応用した「能力の拡張」は、今後、スポーツ界だけにとどまらなくなる恐れがある。身体的特徴や能力をゲノム編集により操作・拡張する技術を手にした人間は、この技術をどのように扱うかが問われるようになるだろう。

特に2030年代以降はAIの台頭により、人間の存在意義が危ぶまれることになる。そこで人類はAIに対して優位性を保とうと、潜在的に持っていた拡張願望を増幅させることが考えられる。

こうした願望を叶える上で、筋肉を増強する遺伝子ドーピングと共に大いに利用される可能性があるのが、人工材料を生体へ適用する「バイオマテリアル」の技術である。この技術は診断や治療にとどまらず、人工臓器や再生医療などにおいても実用化が進められている。

2030年代後半には、五感のようなヒトの感覚について、喪失した場合には補い、さらには超人的レベルを達成するように補強するバイオミメティクス材料が実現するという予測もある。こうした技術が発展すれば、将来的に、人類は自己の能力の拡張に応用する可能性がある。たとえば、自分の両腕に加えた複数の腕を同時に動かしたり、腕力を増強して巨大な物を軽々と持ち上げられるようになったり、遥か遠方にあるものを見たり聞いたりできる超視力や超聴力のように、今では信じがたい能力を未来の人類が身につけていることも想定される。

「iPS細胞」の応用による臓器、組織の作製・再生技術もまた、こうした願望を叶える上で重要な役割を果たすことになるだろう。将来的には、人工的な臓器を作製し、失われた組織や臓器を再生させることが当たり前になり、さらに元来の臓器より強化される可能性もある。

こうした拡張の願望は、自らだけでなく「子」へも向けられる恐れがある。人々がゲノム編集技術を利用し、デザイナーベビーを量産するようになるとしたら、ついに神の領域を侵食することになる。

デザイナーベビー――〝神の領域〟へ侵食し始めた人類

人類がＣＲＩＳＰＲという遺伝子編集技術を手にしたことで、遺伝子編集された人間を誕生させることが理論的に可能となった。しかし、技術的、理論上可能であるからといって、現実化して良いか否かはまた別の問題である。実際、ほとんどの国において遺伝子工学で編集した胚の妊娠は非合法扱い、もしくは禁止されている。

ところが、２０１８年11月、中国の南方科技大学のゲノム編集研究者 賀建奎《フー・ジェンクイ》によって、世界初のゲノム編集ベビーが誕生した。エイズの原因となるウイルスであるＨＩＶが細胞に侵入する際に利用する細胞側のタンパク質の遺伝子を、ＣＲＩＳＰＲ－Ｃａｓ９系ゲノム編集ツールを利用して無効化し、それらの胚を母体に着床させ、ＨＩＶに感染しにくい元気な双子の女児を誕生させた。双子女児のＤＮＡの塩基配列解析からゲノム編集を行い、標的遺伝子のみ変更されたという。

遺伝学技術を使って人をＨＩＶから守る、より安全で効果的な他の方法が存在する中、あえて胚の遺伝子編集を行っている。そして、そもそも子どもがＨＩＶに感染する危険はないため、ＨＩＶ陽性の父親を持つ家族を対象にしたことへの必然性も見いだせない。こうした理由などから批判が集中した。

このゲノム編集ベビー誕生の試みについては、南方科技大学も認識しておらず、中国の衛生部（現 国家衛生健康委員会）や科学技術部が２００３年に公表した法的規制にも抵触する。結果的に賀建奎は不法な医療行為を行ったと判断され、罰金と懲役３年の実刑判決を受けたが、２０２２年春には出所している。

生殖細胞の遺伝子を改変すれば、編集された細胞とされていない細胞の両方を持つ新生児が誕生し、望ましくない突然変異などのリスクが伴う。さらに、世代を超えて受け継がれ、遺伝子プール全体に影響を与え、予想もしない影響を招く可能性もある。治療目的のみならず、親が望む容姿や能力を持つ「デザイナーベビー」の誕生につながる恐れもある。世界初のゲノム編集ベビー誕生は、人類が自らの遺伝子を初めて操作してしまったことを意味する。

肉体的に操作され、個性や外観を変えられた「デザイナーベビー」を誕生させるための遺伝子編集は止めるべきであるという考え方は、概ねの合意事項である。

一方で、疾病の予防や治療に目的を限った子どもの遺伝子編集の合法化に賛成する声や、遺伝子編集自体に対して支持する人も多い。前出の賀建奎も、疾病の遺伝子を矯正することによって、人類は環境の急速な変化の中でもより良い生活が送れると考え、現代の生命倫理分野を牽引するオックスフォード大学のジュリアン・サバレスキュ教授も、全ての人間が遺伝的に適切な人生のスタートを切り、技術を活かして自分の人生を設計していく力を持つべきであることを主張している。つまり、生まれ持っての才能の有利不利をなくし、運任せにせずに自分自身を変えることを肯定している。

人類史上初めて手にした〝人間による人間の遺伝子編集技術〟により、恵まれた遺伝子だけを選別して持つことや、思い通りの子どもを作ることが可能になった。

ガイドラインや法制度があろうとも、デザイナーベビーを肯定する思想や目的、そして技術力が存在する以上、その拘束力はどれくらい有効であり続けられるのだろうか。病気を克服したいという医療的視点もあれば、特定の組織や国に大きな利益をもたらそうと色気を持つ者もいる。それらが入り乱れ、様々な思惑がこの技術の使い途《みち》を探る。科学の可能性と一体化する野心は、倫理観、国際的なガイドラインや法制度よりも自利を優先させる原動力となる。この原動力は、国際的な協調や倫理を乱し、それがいきすぎた先に起こる悲劇を、人類は何度となく繰り返してきた。

現代人は過去の悲劇の反省のもと、過ちを繰り返さないよう慎重な議論を重ねている。しかし、技術の進化の流れは著しく速いため、議論を重ねているうちに状況はあっという間に変化し、次のフェイズへと進んでいく。議論は常にそれを追いかけることになり、世界を守り切るための結論を出す猶予は与えられない。誰かしらの私利私欲は、常にその隙を狙っている。

生殖、生命の根源を操作する技術を手にした人類は、〝神の領域〟を侵食し始めた。最初は恐る恐るでも、次第に大胆になっていくだろう。その先に、人類にはどのような運命が待ち受けているのだろうか。

ゲノム優生思想と滑り坂

はじめは及び腰だったデザイナーベビーのブレーキが外され、歯止めが利かなくなる可能性を否定できない理由の一つは、人類の長い歴史の中に「優生思想」が存在し続けたからである。

イギリスの人類遺伝学者のフランシス・ゴルトンは、自然科学者のチャールズ・ダーウィンの『種の起源』の影響を受け、統計学をヒトの量的形質の遺伝に適用した最初の研究を行い、人類の遺伝的改良への強い関心のもと、1883年に「優生学」という学問分野の創設者となった。秀でた特質を持つ人間の遺伝子を保護して、劣った特質を持つ遺伝子を排除し、優秀な子孫を後世に残そうという優生思想は、優生学という科学的なバックグラウンドにより強化されることになる。優生学的理想への言及は、実に旧約聖書にまでさかのぼる。

草創期においては、新しい科学として確立しようとされた優生学だが、19世紀後半から

20世紀にかけて展開される優生主義の潮流は、米国やドイツ、日本などへ広がりを見せた。適合者と不適合者の線引きが国や思想によってなされ、人種的偏見も台頭する。

1907年、米国のインディアナ州で世界初の断種法が制定され、優生学者が描く米国の改良計画と共に全米へと拡大した。遺伝的理由で黒人が白人よりも生物学的に劣っているという主張がはびこり、米国での断種は1980年前後まで行われた。

ナチス政権下のドイツ優生立法は、とりわけ激しいものとなった。ヒトラーが反ユダヤ主義を強める中で、ナチスの人種主義と優生政策が一体化し、1935年のニュルンベルク法制定によりユダヤ人から公民権を奪い取るだけではなく、ユダヤ人を特定層とし殺害の対象とした。

19世紀後半から20世紀にわたる優生主義は、人間には平等の権利が与えられるべきだとする権利平等の原則を認めず、自然選択に代わる人為選択による人類の血統改良、遺伝的に劣弱な個体の生殖の排除を目論む消極的優生学と有益な子孫を積極的に増やすことを目指す積極的優生学などを導いた。積極的優生学は優秀遺伝子保護、消極的優生学は劣等遺伝子排除の側面を持ち、時に特定の民族のバージョンアップを目的に強制的な政策として伝統的優生学が実践されてきた歴史がある。

その当時に今のゲノム編集技術があったならば、これらの優生学の実践、民族のバージョンアップに積極的に活用されていたのではないだろうか。

優生学の実践は、20世紀前半にピークを迎え、ナチス・ドイツの優生政策が悲劇をもたらしたことへの反省から衰退していったと言われる。しかし、米国などでは戦後も途絶えることはなく、日本においては戦後になって優生断種が行われた。優生思想を過去の遺物だと言い切れないほど、あまりにも長く、そしてつい最近まで、社会に大きな影響を与えてきた。

思想、国家、置かれた環境などにより、優生主義は一つではなく多様な顔を持ち、変化する。世界のどこかで、デザイナーベビーに優生主義の出口を求めるアクセルが踏まれると、〝ゲノム優生思想〟が台頭し始めることになるかもしれない。ゲノム編集は、人間の生殖や性質を変えることができる技術であるがゆえに、新たな優生思想に直結し、醸成するだけのエネルギーを持つことを忘れてはならない。

ゲノム優生主義が芽生え、それによってデザイナーベビーを禁止する国際的協調から逸脱する勢力が現れたり、AIとの能力競争で危機感が増した人類が結果的にゲノム優生主義に生き残る道を求め始めると、下り坂の一歩を踏み出すことになる。

いったん坂を滑り出すと最後まで止まることはできなくなるため、最初の一歩を踏み出すべきではないとする「滑り坂理論（slippery slope argument）」（後述）をゲノム編集技術にあてはめ、警鐘を鳴らす専門家もいる。最初は自発的意思に基づき始まったとしても、徐々にもしくは一気に悪しき結果へと導かれ、最終的には強制性を伴う積極的優生学に帰結することを危惧するものだ。

疾病治療等の医療目的にとどまらず、人間の能力を拡張するためにゲノム編集技術を使い始めると、最初は一部の能力拡張だけであっても、さらなる能力拡張を目指してあらゆる機能に手を加えるようになる。そのうち、生まれたときから理想的であることを求めるようになり、デザイナーベビーを生み出すことに歯止めが利かなくなる。デザイナーベビーを積極的に推進する国が現れ、優生計画への強制的介入を行うようになると、差別や紛争の火種になる。そして、ホモ・サピエンスはゲノム編集によって競うように、現生人類とはかけ離れた性質を持つ「ポストヒューマン」への書き換えを進め、自らの終焉のシナリオを始動させる。最初から意図して終焉を目指すわけではない。優位を目指して競い合うことありきで、その末路への配慮は二の次になる。

滑り坂の最終地点ではホモ・サピエンスの終わりにつながるかもしれないことを、最初の一歩の段階でイメージしておかなければならない。ゲノム優生主義と滑り坂理論の掛け算は、人類の未来を左右する爆発力を持つ。

デザイナーベビーを100％生み出さない世界は実現できるのか

2030年代以降、ゲノムテクノロジーは、人類や動物の生命を自在に操ることを可能にし、技術的成長は加速度的にその先を目指す。デザイナーベビーも、全人類が完全に足並みをそろえて止めない限り、どこかで誰かが、様々な目的で生み出すことになる。人類の欲望が技術を暴走させれば、デザイナーベビーは人類の優劣を際立たせ、分断と紛争の火種になる。

2013年、米国の個人向け遺伝子解析企業「23andMe」が、両親の唾液などから望み通りの子どもが生まれる確度を予測するシステムの特許を取得したことは、それまでSFの世界だったデザイナーベビーが、現実の世界で強く意識されるきっかけになった。この技術は遺伝子自体をデザインするものではなかったが、2015年発表のゲノム編集技術による世界初のヒト受精卵の遺伝子操作を行った中国の研究が世界に衝撃を与え、2018年には中国の研究者がゲノム編集技術を用いて双子を誕生させたことで議論を呼んだ。

技術的にはまだ未熟であるとしても、実際にデザイナーベビーを誕生させることができる段階にはあり、今は倫理的な歯止めが濫用を抑えている。デザイナーベビーを生み出すおそれのあるゲノム編集技術をどう扱うか。これが人類にとって、未来の「繁栄」か「破滅」かを分けるターニングポイントの一つとなるだろう。

未来のゲノムテクノロジーをもってすれば、遺伝子疾患、がんから生活習慣病まで、様々な疾患から免れることができ、持久力や筋力などの肉体的に優れた健康優良児を生み出せる。睡眠時間をほとんど取らなくても精力的に活動でき、心臓や肺などの臓器は動物で作った人間用の臓器といつでも取り替えできるようになるかもしれない。優秀なゲノムを持つ人間から膨大なゲノムデータを抽出、解析し、知能や容姿を操る。美しい外見を持ち、あらゆる能力に優れた万能型人間を生み、優秀な遺伝子を継承する。

これを実現できる財力と地位がある者は、自分の子が他者よりも劣ることを恐れ、理想の遺伝子を求める。

世界中でデザイナーベビーが100％禁止され、それが厳格に守られる構造にあれば、歯止めは利く。しかし、規制が緩い国や陰に隠れてでもやる組織が存在すれば、それを探して最先端の技術を買い、万能型人間を生む人も発生する。ゲノムテクノロジーで優れた能力を持つ者と持たない者の格差を見せつけられ、ゲノム編集できない人たちが差別により不遇を極めるようになれば、我が子こそはデザイナーベビーにしたいという親心にも蓋をしきれなくなる。

優生学や差別の問題を生まないためには倫理的な観点を技術と一体化させることが必要だが、ゲノム編集の研究者と倫理学の研究者のアウトプットが相当なレベルで一致し、実効力を伴わない限り、あるべき像から乖離する。理想と現実が埋まらない時間が長く、価値観の多様性が悪い方向に発揮された場合、結局のところ、人間の価値がゲノム情報をもとに判断され、デザイナーベビーか否かで優劣が目立つ世界が出来上がってしまう。そうなれば差別意識が生まれ、世代を超えて社会的分断が進むだろう。

ゲノムテクノロジーを有効に使うべきであることくらい、多くの人々は理解している。しかし、デザイナーベビーを100％生み出さない世界を、人類は本当に作りきれるだろうか。仮にデザイナーベビーを禁じない国が現れた場合、ゲノム優生思想の温床となり、優劣、差別に伴う争いは避けられなくなるだろう。一部であろうともデザイナーベビーが容認される場所があり、自然界に存在しない遺伝子を持つポストヒューマンたちが優位に立つようになると、人間の遺伝子を改変する志向も芽生えやすくなる。世代を追うごとにその志向が強まり、ポストヒューマンが少数派ではなくなると、いよいよ自然界のホモ・サピエンスを淘汰し始める。

ポストヒューマン（posthuman）という概念は、人間以降の存在、人間を超えた存在として理解されている。現在の人類に比べて非常に優れた能力を持ち、自然な人類の進化と過激な人間強化を組み合わせて生み出される。ここで補足しておくと、ポストヒューマンについても多様な見解がある。近年のポストヒューマン論では、斧や火のような原始的道具を利用し、文字や印刷技術を身体機能の外在化と捉えることで、いまの人間は既にポストヒューマンとして存在してきたと定義するものもある。しかし、ゲノムテクノロジーにより、身体そのもの、生命を操作することは、人間を超えた存在を生み出すことになり、現状の人間のまま道具や外在化した技術を活用することとは次元が違う。ゲノム編集を施した人間は、まさに人間以降の存在になり得る。

ゲノム編集技術を使った遺伝子改変は、子孫にその遺伝子が受け継がれる点が重要だ。〈注意すべきは、この技術が受精卵に対するものである点だ。つまり、改変されたDNAは、次の世代に受け継がれていくのである。こうして、遺伝子の改変が数世代続けられると、まったく新しい「種（ポスト・ヒューマン）」を誕生させることができる〉（『ポスト・ヒューマニズム　テクノロジー時代の哲学入門』岡本裕一朗著　NHK出版新書）

本書においては、一部でも拡張目的の遺伝子改変をしたホモ・サピエンスはポストヒューマンの要素を持ち始め、種として優位にあるポストヒューマンを主体としてDNAを残し続けることで、世代を跨いでポストヒューマンへと置き換わる可能性を提示したい。拡張目的の遺伝子の改変によるポストヒューマンは、これまでの人類の系譜とは性質が違うという視点に立つ。

その点において、部分的な改変であっても「ポストヒューマン以降」と見なし、世代を経て改変を重ねる度に、境界線は自然とポストヒューマン寄りになり、やがて現生人類と呼べる要素が失われていくと考える。

AIが知能において人間を凌駕し始めると、存在意義が路頭に迷わぬよう、人間にできること、優位性を確保するために、ゲノム編集で脳や身体の能力を拡張することが選択肢として浮上する。ＡＩの超知能化もポストヒューマンへ置き換える圧力となり、ホモ・サピエンスがポストヒューマン化する潮流を作る。

両親の理想通りのデザイナーベビーとして誕生したポストヒューマン。生まれながらにして、好みの顔、肌や髪の色、体形を持つ。瞬発力やパワーなどの筋力と運動神経を兼ね備え、知能も人工超知能に負けないようにデザインされている。病気にならない身体で長寿。デザイナーベビーとして生まれてくることはあくまでもスタートラインであり、より美しく、より強く、より知的になるよう、ゲノム編集技術による定期的な強化、メンテナンスは欠かせない。

もはや、二刀流どころではなく、万能でなければポストヒューマン時代の超ハイレベルな競争を生き抜くことはできない。ポストヒューマンとして勝ち抜けるのは、高レベルの最新ゲノム編集技術を駆使できる財力と地位の持ち主であり、やりたくてもできない人間や、倫理に反するとして抗う人間との分断は、世代を重ねるにつれ、埋めようもない次元の違いに達している。次第にポストヒューマンの勢力がホモ・サピエンスを圧倒し、やがて〝旧人類〟は淘汰されてしまう。

現生人類となったホモ・サピエンスも、世代を重ねながらネアンデルタール人との生存競争を勝ち残り、人類のバトンを受け取った。『絶滅の人類史―なぜ「私たち」が生き延びたのか』(更科功著　NHK出版新書)では、ネアンデルタール人のDNAが減っていく過程について、次のように言及している。

〈ホモ・サピエンスとネアンデルタール人の間に生まれた子供は、両者のDNAを半分ずつ持っている。その子供がホモ・サピエンスの集団に留まって生きていったとすると、さらにその子供では、ネアンデルタール人のDNAは4分の1になる。こうして世代を重ねるごとにネアンデルタール人のDNAは半減していき、多くのホモ・サピエンスのゲノムの中に、ランダムに散らばっていく〉

ネアンデルタール人が絶滅した理由については諸説あるが、生存力において、ホモ・サピエンスがネアンデルタール人を凌駕したことだけは間違いない。

ゲノム編集技術を使って生み出されたポストヒューマンによるホモ・サピエンスの淘汰も、かつてホモ・サピエンスがネアンデルタール人から置き換わったプロセスと似たような過程をたどる可能性がある。

たとえば、ホモ・サピエンスとポストヒューマンの間に生まれた子どもがポストヒューマンの集団の中で育ち、さらに子どもを生んだ場合、ホモ・サピエンスのDNAは4分の1になる。世代を重ねるごとにホモ・サピエンスのDNAは半減していき、結果的に、ポストヒューマンに置き換わっていく。しかも、そのプロセスの中でホモ・サピエンスの遺伝子に改変の手が加われば、置き換わる速度も、置き換えの性質も違う。

この点において、デザイナーベビーを生み出す技術は、人類の未来を大きく左右するターニングポイントとなる。人類の運命を問う踏み絵だ。


ポストヒューマンによる、ホモ・サピエンスの淘汰。これが本書で主張したい滅亡シナリオのうちの一つだ。だがほかにも、ゲノムをめぐる滅亡の因子はある。本章の最後となるここで、考えられる滅亡のリスクをいくつか紹介していく。

生態系の崩壊――〝ポストライフ〟の世界へ

ここまでは、人体を対象にしたリスクを紹介してきた。だが、ゲノムテクノロジーの影響は、人間の身体のみならず、生物や植物の生態系にまで及ぶ。生命操作は、生きとし生けるものが対象となり、扱い方によっては生態系の崩壊を引き起こす可能性がある。

ゲノムテクノロジーの発展に特に力を注いでいる中国は、ゲノム編集関連特許数でそれまでリードしていた米国を2016年に逆転し、急速に世界の最前線となり始めている。2015年、ゲノム編集で意図的に小型化した「マイクロブタ」を中国企業が作り出したことが発表され、2017年には世界初のゲノム編集技術によるクローン犬が中国で誕生したことが報じられた。

さらに、新型コロナワクチンや治療薬の研究開発を目的に、中国のバイオ企業はゲノム編集によるマウスを世界中に売る。本来はマウスが新型コロナウイルスに感染することはないが、人間の遺伝子の一部を組み込むことでマウスも感染するように改造できる。買い手のニーズに合わせてゲノムの配列を決め、メスのマウスの子宮の中に遺伝情報の一部を書き換えた受精卵を移植する。この手で作り替え可能な生命創造により、自然界には存在しないマウスが大量に生み出される。

遺伝子を人為的に操作された生物が、自然界に放出されるリスクもある。

性別を変異させることで、マラリアを媒介する厄介者の蚊をアフリカで激減させる「ターゲット・マラリア」と呼ばれるプロジェクトがある。英インペリアル・カレッジ・ロンドン（Imperial College London）の研究チームは、繁殖とともに特定の遺伝子を拡散させる技術「遺伝子ドライブ」を利用して、蚊の性別を決める遺伝子の劣化コピーを拡散した。劣化コピーの遺伝子は雌の蚊に作用し、人を刺したり卵を産んだりできない雌雄同体に変異させることが目的だ。この方法であれば特定の種に絞って作用させることができるため、殺虫剤よりも効果が的確であると見られている。ケージの中で実施した実験成果の発表によると、8世代後には子孫を残せる正常な雌の蚊はいなくなり、ケージ内の蚊は全滅した。

「ターゲット・マラリア」のプロジェクトが実れば、マラリアから多くの人命を救えるようになる。この遺伝子ドライブの実験は、近い将来、屋外で実施されようとしている。それは、野生動物の間に遺伝子変異を拡散することを意味する。果たして、自然界はそれを受け入れ、健全でいられるのだろうか。

こうした遺伝子ドライブは、米カリフォルニア大学サンディエゴ校の発生生物学者であるバレンティノ・ガンツとイーサン・ビアによって実証され、2015年4月に科学学術雑誌『サイエンス』で発表されたことで注目を集めた。この研究では、遺伝子ドライブによってゲノム改変されたショウジョウバエで、突然変異の誘発が集団内で連鎖反応的に起こり、伝播《でんぱ》した。この現象は、遺伝子ドライブを導入した生物が自然界に流出した場合に生態系に大きな影響を与える可能性があることを示した。そのリスクを軽減するための予防策や対処法も研究されているが、もし人工的な生物が自然界に解き放たれたとすれば、同様のことが発生し得る。

ゲノム編集技術を使って、自然界にマンモスに似たゾウを復活させる計画もある。2021年9月13日、米ハーバード大学の遺伝学者ジョージ・チャーチ率いる遺伝学研究チームと起業家のベン・ラム氏は「コロッサル」というスタートアップ企業を立ち上げ、4000年前に絶滅したマンモスに似たゾウを遺伝子工学で誕生させる「マンモス復活計画」を発表した。ケナガマンモスのDNAを使い、北極圏の気候に適応したアジアゾウとのハイブリッドを作るという。

マンモスを復活させることで、北極圏のツンドラ地帯の生態系を回復させ、気候危機とたたかい、マンモスに近い絶滅危惧種のアジアゾウの保全に役立つことが期待されている。

正確には、マンモスたらしめる遺伝子の手がかりはほとんどないため、これはマンモスではなく毛の長くて脂肪を蓄えたゾウだという指摘もある。どちらにせよ、この計画は倫理上の問題を抱えている。遺伝子操作した動物を生み出す目的でゾウを代理母として利用することや、既存の野生生物への影響などが懸念され、そもそも種の絶滅をどのように解釈すべきなのかといった点も意見が分かれるところだろう。

ゲノム編集では、本来そこにはない遺伝子を外から持ち込むことなく特定の遺伝子を破壊できる。また、ゲノム編集は1塩基単位で改変できるため痕跡をほとんど残さず、自然発生する突然変異と見分けることが難しい。そのため、人為的な改変が起きたとしても、遺伝子の変異が自然発生によるものなのか、人為的なものなのかを判別できなくなるおそれがある。

ゲノム編集された生物が自然界に放出されたとき、遺伝子操作されていない野生生物や自然にどのような影響を及ぼすかは未知数である。だからこそ、遺伝子を人工的に改変した生物が自然界に出てしまうリスクは大きく、人工改変遺伝子が環境や生態系に紛れ込んでしまったときには人間の手に負えないものになる。

ゲノム編集された生物が万が一放出された場合、自然界の動植物と餌や生息場所をめぐって競合したり、他の動物を捕食することで、生態系に負の影響を与える可能性がある。さらに、ゲノム編集された生物たちが自然界のそれと交雑し、天然の生物とはかけ離れた性質を持つ〝ポストライフ〟の世界に置き換わると、今の生態系を根底から壊し、人間が生きていく上で不適格な生態系ネットワークが形成されてしまうリスクもある。

生物は地球の環境に影響を与え、変化させ、その中で人類は生き延びることができる場や食糧を確保した。しかし、ゲノム編集生物によってこの環境を乱し、生態系が臨界点を迎えると、生きる場や食糧を失い、人間の生存に適さない状態を作り出すかもしれない。

自然界や生態系は、それだけセンシティブであり、果てしなく長い時間をかけて人間が生存できる環境が整えられてきた。その自然界や生態系を甘く見て、ゲノム編集生物の可能性に傾き過ぎると、思わぬ滑り坂を作り出すことになる。

ゲノムをめぐる紛争激化

遺伝子をＣＲＩＳＰＲ－Ｃａｓ９で編集する技術が注目を集める裏では、その特許権をめぐり、研究者の間で係争となった。

米国内では、ノーベル賞を受賞したエマニュエル・シャルパンティエ博士とジェニファー・ダウドナ博士が所属するカリフォルニア大学の研究チーム（ＵＣＣ）が出願した短鎖ＣＲＩＳＰＲ−Ｃａｓ９とトランス活性型ＲＮＡを一体化したガイドＲＮＡを利用する技術、マサチューセッツ工科大学のブロード研究所（ＢＲＯＡＤ）が出願したＣＲＩＳＰＲ−Ｃａｓ９系の真核細胞を利用する技術、ヴィリニュス大学が出願したＣＲＩＳＰＲ−Ｃａｓ９を利用して試験管内で合成に成功した特許、ツールゲン社が出願した特定構造のガイドＲＮＡの特許など、主なものだけでも熾烈な権利争いが起こった。

ゲノム編集関連基本特許の大半を米国が取得しており、このままだと、他国が利用する際には莫大な使用料の支払いを強いられる懸念がある。ゲノム編集は、有望な基盤技術を持つ国と持たざる国の大きな差、不均衡を生む種でもある。現に、米国と中国の間では先端技術を巡り様々な摩擦が起きている。

人工知能と並び、ゲノム編集がその象徴的な技術となっているのは、人間の身体に与える影響の大きさ、活用の奥行きの深さにある。人間だけではなく、ゲノム編集で生産される農産物や食品は、世界の食料安全保障にも影響を与える。将来的な人口増や経済発展と共に訪れる食糧危機により、飢餓に苛《さいな》まれる国が出てしまうことが考えられる。その課題を解消するための技術がゲノム編集だとすれば、その技術の覇権争いが課題をさらにこじらせることになる。

ゲノム編集の技術と権利を持った国は食料安全保障における強者となり、それをよしとしない他国との折り合いを欠けば、紛争のきっかけとなる。長い歴史の中で、人類は、食料やエネルギーにまつわる争いを繰り返してきた。未来の食糧危機が重大なものになればなるほど、ゲノム編集技術が紛争の基軸、まるで武器のようになりかねない。

デザイナーベビーの広がりなどによって生じた優劣によるフラストレーションが世界に充満し、そこに食糧危機が重なったとすれば、ゲノム権力の中枢とそれに反発する者たち、中枢にいる者同士の力比べと、紛争の激化が避けられなくなる。ゲノム権力という武器の握り方によって、人間同士、国同士の亀裂が大きくなり、大規模な戦争へと拡大すると、人類が自滅の坂を滑り始める。

人類は、これまで絶えず戦争を繰り返してきたが、技術によって兵器の攻撃力が増すであろう未来の戦争は、より一層激しい破壊力によって展開されることになるかもしれない。決着をつけるために、壊滅的なダメージを与える兵器を使ってしまったときには、自滅の下り坂は急になる。

生物兵器によるバイオテロや人工ウイルスの蔓延

前出のように国家間のゲノム権力闘争の火種となる可能性がある一方、生物兵器を用いたバイオテロや人工ウイルスの蔓延《まんえん》も、人類に大きな悪影響を与えるリスクがある。

2018年1月、カナダのアルバータ大学のデイビッド・エバンス教授らは、オープンアクセス型学術雑誌『プロスワン』で、化学合成したDNA断片から馬痘ウイルスを生成したことに関する研究論文を発表した。

馬痘ウイルスの対象動物は馬であるものの、この技術を応用することで、天然痘ウイルスの作製が可能になることを微生物学者などの専門家は危惧する。リスクのある論文を掲載したことに対し、多くの研究者から批判が寄せられたが、エバンス教授は「技術の進歩に逆行する試みや企ては長年にわたってすべて失敗してきた。技術を規制するよりも、そのリスクを正しく理解した上で、これを軽減するための戦略を立てる必要性を人々に教育するべきである」と反論している。「それも一理ある」と受け止めるかどうかは意見が分かれるところであろう。しかし、リスクというものは、意見が分かれるその間隙を突くものだ。

２０１８年6月19日、米国科学工学医学アカデミーは、国防総省（ＤＯＤ）の要請のもと、合成生物学の進化に伴う安全保障上の懸念を評価するフレームワークを構築し、「合成生物学の時代のバイオテロ防衛」という報告書にまとめて公開した。この報告書は、既存の細菌やウイルスをより有害なものに改変するなど、合成生物学が新たな兵器を生み出す可能性を広げていると結論づけている。その著者のひとりであるミシガン大学のマイケル・インペリアーレ教授は、米国政府は急速に進化する合成生物学の分野を注視すべきであると警告している。

このフレームワークでは、「技術の有用性」、「兵器としての有用性」、「専門家の要否や資源へのアクセスといった必須条件」、「脅威の抑止や予防策の実行などの緩和可能性」という4つの観点から懸念レベルが整理されている。特に懸念レベルが最も高いものとして、「パンデミックをもたらす既存ウイルスの再形成」、「より有害な細菌への改変」、「毒素を生成する微生物への改変」という3つのケースが挙げられ、技術の進化によりバイオテロなどへ悪用される可能性が生じることは否定できないとする。インペリアーレ教授は、将来に向けて実現可能となり得る事象を勘案した上で、幅広い脅威に対応する戦略を探求し続ける必要性を国防総省に対して説いている。

このような流れの中で、ゲノム編集技術が向上すると、人工的な病原体、ウイルスを作り出すことが可能になるかもしれない。ゲノム編集技術によって開発された致死性のある生物兵器がテロに使われたり、脅威的なゲノム編集人工ウイルスがばら撒かれて蔓延してしまったときのダメージは計り知れない。

ゲノム編集の急速な普及を踏まえると、既に監視や対策の必要性があることは明らかである。実際、ＣＲＩＳＰＲのようなゲノム編集技術は、米国の情報機関がまとめた国家安全保障上の脅威リストに入れられたと言われており、脅威と見なす大量破壊兵器にカウントされ始めた。米連邦捜査局（ＦＢＩ）も遺伝子工学のテロへの悪用を防ぐ対策に乗り出している。こうした動きはまさに、その脅威の大きさを物語っているとも言える。意図的な悪用や誤った使用によって広域に悪影響を与えてしまうと、取り返しのつかない事態を招きかねない。

ゲノム編集技術を未来永劫、〝理想的〟に扱うことはできるのか

威力のある技術は新しい時代を作り、未来を紡いできた。ゲノム編集技術の獲得は、人

間自らがヒトの誕生と成長を合理的に操作できる力を初めて手にしたことを意味し、人類の歴史上、大きな転換点をもたらすインパクトを持っている。人間の尊厳、人間の生殖、人間の機能、人間の能力など、人類の根源に触れる比類なき諸刃の剣である。

しかも、次世代から次世代へと影響を連鎖させるのが生殖に関するゲノム編集技術だ。生まれてくる子だけではなく、さらにその子の子孫にも影響を波及させる。現世代の意思決定、価値観、倫理、ルールだけを前提にしても不十分なのだ。現世代が未来への責任を負い、善処に努めているからといって、変動要素の多い社会・地球環境の中で、次世代を理想的にデザインできると考えることは驕《おご》りである。次世代のその先の世代となると、さらに未知数だ。

それを踏まえたときに、人間が未来にわたりゲノム編集技術を正しく扱えるという絶対的根拠など本当にあるのだろうか。現世代がゲノム編集技術を濫用したならば、次世代もその影響を必ず受ける。もし、現世代が濫用せずに済んだとしても、さらに技術力が上がり、人間の能力を拡張したり、デザイナーベビーを生み出す欲や必要性が増したとすれば、次世代では抑制できなくなるかもしれない。ひとたびデザイナーベビーの存在が許されてしまえば、小さな一歩が少しの束になり、少しの束がなし崩しに大きな束になりかねない。大きくなった束は、デザイナーベビーか否かで人間の優劣が際立つ世界を徐々に形成し、差別意識が継承されることで世代を超えて社会的分断が進む恐れがある。

そして、デザイナーベビーとして生まれてくる子どもは意思決定に関与せず、自分以外の誰かの意思によって勝手に操作されることになる。これまでのヒトの生殖プロセスを人為的に変える行為であり、プロセスの一部だけを切り取って操作しても、何の歪みも生じないことを証明するのは困難だ。生命操作が一つのシステムだとすれば、バグが絶対に発生しないシステムは幻想に近い。予想しなかった病気や障害が生じることや、思わぬ遺伝的影響が次世代に現れることもある。

ゲノム編集技術を未来永劫、完璧に扱い、安全性を永遠に担保できるという発想は、願いの範囲を出ない。

2015年12月に行われたヒトゲノム編集国際サミットで採択された声明では、ヒトの生殖細胞系列へのゲノム編集は、次のような6つの問題をもたらすと指摘している。

1. オフターゲットやモザイクといった技術上の問題
2. 遺伝子改変がもたらす有害な結果を予測する困難
3. 個人のみならず将来の世代への影響を考える義務
4. 人間集団にいったん導入した改変を元に戻すのは困難
5. 恒久的エンハンスメントによる差別や強制
6. 人間の進化を意図的に変更することについての道徳的・倫理的検討

これらの問題は、技術の進化によって解決できるものもある一方で、人間の思想、倫理、行動については、最良な全体合意、選択がなされるとは限らない。技術だけは立ち止まることなく進化しながら、6つの問題の解決を阻むのは、統一感のない意思、そして理想である。しかも、その意思や理想は、置かれた環境によって流動的である。

人間の価値観は曖昧な上、人間それぞれの価値観には相違があることは一般的に認められている。それゆえ、倫理的問題に対する答えは異なりやすく、異なれば現実的な不一致が生じる。人間の価値観はまとまりがない上に、世の中の事象が複雑で矛盾を多く含むことが、不一致の問題をこじれさせる。不一致の問題は解決し難く、誰かが、どこかの国が、このギャップを悪用できる状態にある。

自然が作った生命を、人間がデザイン、操作する営みは、前代未聞、未知の世界だ。時間と共にデザイン技術は進化し、量子コンピュータ、人工知能の進展などがそれを加速させる。技術的に操作できることと、実際にすることは別次元であり、「できるから」といって、生命をシステム化の領域に移行させた場合の不具合は、取り返しのつかないものとなる。

倫理学者のマイケル・サンデルは、「遺伝子操作は『世界そのもののnature（本性）の根本的な改変』であって、『与えられたもの（the given）』、すなわち思い通りにならない世界のnatureそのものを『激しく罵ろうとする衝動』に基づいている」と述べている。自然な生命を人間がデザインすることは、まさにこれに該当する。

不可能だったことを技術の力で可能にし、生き永らえ、社会を発展させてきた人類にとって、ゲノム編集技術もその延長にあると捉えるかもしれない。しかしながら、生命をデザインする行為は、本当にその延長線上にあるのか。破滅へ導く可能性を排除できるのか。

ゲノムテクノロジーという光が強烈であるほど、強烈な影を作り、科学の二面性のコントラストを強める。全人類が、ゲノムテクノロジーを倫理的に望ましく、理想的に扱うことを期待したいが、その期待を保証する科学的根拠は現時点では見当たらない。

第3章

科学と影のメカニズム

科学技術の影は紀元前から

ＡＩやゲノム編集技術は、これまでの科学技術の中でもとりわけ、人間そのもの、存在の根源を問う性質を持ち、それゆえインパクトも大きい。有効に活用すれば、人類の可能性を大いに切りひらく手段になるが、本書では、その威力が負の方向に大きく傾いてしまった場合、人類滅亡という最悪なシナリオもあり得ることを論じてきた。

特にＡＩやゲノム編集技術においては、明らかな悪意がなくても、人間の欲によっていつの間にか影が作られ、その影は現生人類の存続可能性を揺さぶるものとなる。だからこそ、技術的進化の光の背後にできる影には、よりいっそう敏感になる必要がある。

これはＡＩやゲノム編集技術に限った話ではなく、どのような科学技術にも影、負の側面があることは歴史が証明している。

科学技術は、悪用されたりアクシデントに見舞われたりすると、人間や環境を傷つけ、最悪の場合は人類を滅亡させるだけの力を併せ持つ。科学自体は中立的なものでありながら、いまに至るまで、人類は科学技術を負の力にも転用してきた。それは、紀元前まで遡る。

紀元前212年頃、古代ギリシャの科学者であるアルキメデスは、故郷のシラクサがローマに占領されそうになり、鉄の爪、石の投射機、反射鏡の利用など、ローマ軍との戦いに協力させられたという伝説が残っている。アルキメデス自身は好んで戦争に協力したのではなく、やむを得ず協力したと言われている。事実であれば、科学者の意図にかかわらず、科学技術が殺戮の手段に転用される事例は紀元前からあったことになる。

科学の発展に伴い、その技術が人命を奪ったり、人体や環境に悪影響を与える影も濃くなっていく。

飛行機に関する技術の変遷が、分かりやすい例だろう。1903年、ライト兄弟が人類初の動力飛行に成功した飛行機は、それから10年ほどで戦闘機としても使用されるようになった。第一次、第二次世界大戦は、皮肉なことに技術を磨き上げる動機となってしまう。近年はデジタルテクノロジーの発展により、遠隔操作や完全自律で飛行できる無人航空機も実現された。いまや飛行機は軍事的活動に不可欠な武器としての側面も持ち、多くの市民がその攻撃の犠牲になり続けている。

2001年9月11日、米国で起きた同時多発テロでは、国際テロ組織アルカイダによってハイジャックされた4機の旅客機がニューヨーク州の高層ビルなどへ、さらにもう1機がバージニア州の国防総省ビルに突入、瞬く間に3000人近くもの死亡者を出し、世界に大きな衝撃を与えた。戦闘機でもない旅客機がテロの武器になり、米国が対テロ戦争へと突き進むきっかけになるなど、ライト兄弟は想像もしていなかっただろう。

海においても、人類の科学の影響が及んでいる。1800年代初頭、米国の技術者であるロバート・フルトンが世界初の手動式潜水艦であるノーティラスを設計し、最初の近代的機雷を作製した。以降、潜水艦は究極のステルス兵器として数多の戦争に使われ続けている。さらに、動力に原子炉を使用する世界初の原子力潜水艦が1954年に竣工した。

ロシア政府が1993年4月に公表した「旧ソ連による北極海域及び極東海域における放射性廃棄物の海洋投棄に関する調査結果」によると、旧ソ連及びロシアは放射性廃棄物を日本海とカムチャツカ半島沖の極東海域で投棄していた。同年10月にも日本海において液体放射性廃棄物の海洋投棄が実施されている。この廃棄物の投棄は、原子力潜水艦の保守・運航や、退役原子力潜水艦の解体等に伴うものだとされている。

2019年には、ノルウェー海で30年前に沈没したロシアの原子力潜水艦の残骸付近で採取した海水から通常より80万倍も高いレベルの放射線が検出されたことをノルウェー当局が明らかにした。

こうして、原子力を有するようになった潜水艦は軍事用としてだけでなく、環境に悪影響を与える廃棄物や残骸として、世界に影を落とす。

放射能の発見と研究も、人類を負の方面へと突き動かした。

A・H・ベクレルとキュリー夫妻は放射能を発見し、1903年にノーベル物理学賞を受賞したが、その当初から放射能の恐ろしさを認識し、発見したラジウム元素が、悪用されずに人類に有益に使われることを訴えた。しかし実際は、放射能兵器として悪用されたり、キュリー夫妻の研究が産業界と結びつき、人体に被害を与えてしまうこともあった。

実業家のアルメ・ド・リル（Emile Armet de Lisle）は、キュリー夫妻の協力のもと、大規模なラジウムの工業生産を開始した。発行した雑誌『ル・ラジウム』で煽ったこともあり、ラジウムは世界で最も高い物質となる。先行する医療や塗料分野以外に、化粧品や健康食品などにも使用されるようになり、ラジウムは商業的な広がりをみせた。しかし、携わった研究者や工場の働き手の内部被曝等、多くの人体被害を出す惨劇を招いたことは、まさに負の側面だ。

科学には光と影のどちらにもなり得る二面性があり、民生用と軍事用がその典型となる。民生技術が軍事利用されることをスピンオン、軍事技術が民生利用されることをスピンオフと言う。スピンオンには、飛行機、ドローン、戦車、3Dプリンター、携帯情報端末などがあり、戦争や殺戮の手段として利用された。一方、軍事技術を利用したスピンオフは、コンピュータ、ロケット、全地球測位システム（GPS）、電子レンジ、スプレーなど多数存在し、われわれの快適な生活に一役買ってきた。

科学の力を人類や社会の発展に活かそうとする人がいる一方で、それを悪用したり、営利目的の活動の結果として人体に被害を与えたり、戦争の道具にしたりする人が絶えずいた。社会に役立てるための光として研究開発したにもかかわらず影に利用されてしまった科学者、そもそも悪意側に立ってしまった科学者、その両者が常に存在してきた。

優れた科学には多様な欲が集まり、人間の手によって影を作る手段にもされやすいことは、長い歴史が物語る。

生きるための化学が、兵器のための化学に

18世紀後半から19世紀前半にかけてイギリスで起こりヨーロッパに広がった産業革命により、生産活動の中心が農業から工業へ移り、社会に大きな変化をもたらした。産業革命を支えたのは工業生産技術や蒸気機関など様々な技術革新であり、機械化が生産性を一気に向上させた。

このとき、農作物不足を解消するために、空気中の窒素を化学的に変化させてアンモニアなどの窒素化合物を作る「空中窒素固定法」が開発された。だが、この技術は当初の目的を離れ、アンモニアを原料とする火薬製造に用いられるようになり、強力な兵器の開発へとつながった。第一次世界大戦で初めて化学兵器として使われた毒ガスも、この技術がベースになっている。その後も塩素ガス、マスタードガスなどの開発が進められ、悪用に歯止めがかかることはなかった。

ドイツ軍の毒ガス使用を契機にイギリスやフランスなどの連合軍との報復合戦となり、第一次世界大戦における化学兵器による死者数は10万人以上と推定される。

第一次世界大戦で多大な犠牲を出した反省から、毒ガスをはじめとする特殊兵器の戦時

使用は国際法（ジュネーブ議定書）で禁止された。だが、人類のこうした「反省」に永続性が伴うことはなく、その後はちぐはぐな対応が続く。

第二次世界大戦では、多くの国が生物兵器の研究を行っていた。１９４３年、米国ではフランクリン・ルーズベルト大統領が他国からの攻撃に応戦する以外の生物兵器の不使用を宣言したが、冷戦時代に入り、核兵器と共に、米国のニクソン大統領が旧ソ連に対し、生物兵器使用の可能性について言及した生物兵器プログラムをあらためて宣言している。その後、１９７２年の生物および毒素兵器の会議にて、１４０カ国以上が生物兵器による脅威をなくすことに合意しているが、旧ソ連では研究開発が続けられ、兵器工場から炭《たん》疽《そ》菌が放散される事故によって多くの犠牲者を出している。

日本でも、１９９５年のオウム真理教による神経毒サリンを使用した化学兵器テロや、毒性がサリンの１００倍とも１０００倍とも言われる猛毒の化学兵器ＶＸを使用した事件により、６０００人以上の被害者を出した。

〝生きるための〟医学や化学の研究開発が、生物兵器や化学兵器への悪用で〝殺すための〟研究開発となってしまった事例は数え切れない。

そして、窒素と水素からアンモニアを化学合成するという画期的な手法は、爆薬や毒ガスに利用された一方、肥料としての窒素源の供給に多大なる貢献をした。その功績を称える形で、空気中の窒素からのアンモニア合成法の開発を行ったドイツのフリッツ・ハーバーには1918年のノーベル化学賞が贈られている。

「核なき世界」を掲げ、核を増やし続ける人間の不条理

一部の企業や国がひとたび先端技術を手に入れると、その技術に危険な要素があっても、開発に歯止めが利かなくなる。原爆をめぐる対応は、その最たる例だろう。

古代ギリシャの哲学者デモクリトスが構築した原子論は、19世紀末から20世紀にかけて、アーネスト・ラザフォード、アルバート・アインシュタイン、ニールス・ボーア、ジェームズ・チャドウィックなどの物理学者によって、理論の正しさを証明されることになる。チャドウィックは未知の粒子「中性子」を発見し、理論物理学者エンリコ・フェルミはその発見をヒントに、様々な元素を中性子と衝突させて原子を崩壊させる実験を開始する。それはやがて、強烈な兵器を生み出すための技術となる。

1942年、米陸軍のマンハッタン工兵管区が主導したことから「マンハッタン計画」と呼ばれるようになった世界初の核兵器研究開発の機密プロジェクトには、著名な科学者

と技術者7000人、軍や産業界総動員で合計60万人以上の人が関与したと推測されるほど、巨大な軍事開発事業であった。研究開始からわずか3年程度で原爆開発に成功した。そして、人類史上初の核実験から間もない1945年8月には、広島と長崎に原爆が投下され、甚大な被害をもたらすこととなった。

また、多くの科学者たちの強い反対をよそに、ソ連の脅威に対抗するために出されたトルーマン大統領の水爆製造命令により、1952年にはマーシャル諸島のエニウェトク環礁で世界初の水爆実験が実行された。1954年3月に行われたビキニ環礁の水爆実験では、広範囲に放射性物質（死の灰）をまき散らし、実験場付近を航行していた日本の漁船「第五福竜丸」が被曝した。水爆には人類を滅亡に導く威力があることは明らかである。それでも製造を止められない不条理を、人間が自ら作り出している。

人類は歯止めの利かない核の兵器利用を制度で封じようと試みるが、自国の利益を優先する国が相次ぎ、今に至るまで足並みは揃わない。

1962年に米ソ間で核戦争寸前までに達したキューバ危機が起こったことで、1963年に米国・イギリス・ソ連が部分的核実験禁止条約（PTBT）を締結したが、核実験に後れをとっていた国の不参加が課題となった。そして1968年に国連総会で採択された核保有国以外の核保有を禁止する核拡散防止条約（NPT）も、内容に反発した国の未加入があり、核軍縮は一枚岩にならない。

その後も人類は、核兵器の制御を再三試みる。1985年にゴルバチョフがソ連共産党の書記長に就任したことを機に、核軍縮へ方向転換した。だが、2001年に米国で同時多発テロが発生したことと、ロシア議会の反対により、締結された第二次戦略兵器削減条約が未発効となってしまった。

1996年に国連総会で採択された、地下を含むあらゆる場所での核実験を禁止する「包括的核実験禁止条約（CTBT）」には多くの国が批准しているが、未加盟の国も目立ち、未発効の状態が続く中、1998年には未加盟のインド・パキスタンが核実験を実施している。2017年には、国連総会で核兵器の全面的撤廃を目指す核兵器禁止条約が採択され、2021年に発効を迎えたが、核保有国及びその同盟国の参加が課題として残っている。

数多くの危機を抱えながら、長期にわたり課題解決の努力が重ねられてきたが、それが報われる状況になっていない。米国は2018年に中距離核戦力全廃条約（INF）を脱退し、ロシアも条約義務履行の停止を宣言したことで、2019年に失効した。

核なき世界が理想だという常識は誰かが常に持っていて、その理想は事あるごとに為政者らによって宣言もされてきた。それにもかかわらず、この重い歴史を踏まえてもなお、核兵器の数は増加に転じる見通しがある。

スウェーデンのストックホルム国際平和研究所（SIPRI）が2022年6月に発表した報告書で、冷戦の終結以来、世界の核兵器放棄を特徴づけてきた核軍縮が終わった明らかな兆しがあると指摘した。中国が核兵器の保有数を大幅に増やしているだけではなく、全ての核保有国が核兵器の増大または改良を進め、ほとんどの国が核に関する発言や自国の軍事戦略のための核の役割を先鋭化させていることが危惧される。SIPRIの推計によれば、米国が3708発、ロシアは4477発、中国は350発、フランスは290発、イギリスは180発を保有する。中国は2006年の145発から大幅に核弾頭数を増やしており、米国防総省は、中国が現在の核増強ペースを維持すれば、2035年までに1500発の核弾頭が備蓄される可能性が高いとの見方を示している。

核分裂の連鎖反応によって、人類は有力なエネルギーを新たに手に入れることができる。

その思惑が正の部分だとすれば、このエネルギーを利用して強烈な威力を持つ兵器も作れるという負の思惑が世界を不安定にしているのは過去の話ではない。現在進行形どころか、悪化する兆しすらある。これがかなしき現実であり、性善説だけでは成り立たない世界の実態だ。

原子力の用途は爆弾だけではない。1950年代から、平和的利用を大義として発電にも利用されるようになった。原子力発電である。日本では1955年に原子力基本法が成立し、原子力利用が始まり、1966年には日本初の商業原発として日本原子力発電株式会社の東海発電所が建設され、運転を開始した。1970年代に2度の大きなオイルショックがあり、石油資源への依存リスク、エネルギーの安定供給が課題認識される中、解決策として原発の導入が活発化した。

エネルギーの安定供給が可能で、電気料金の安定に役立ち、発電時にCO_2を排出しない。世界的に導入が進んだ原発のメリットは、影も作り始めることになる。1979年に米国のスリーマイル島、1986年にチェルノブイリで原発事故が起こり、動植物への悪影響や多くの被災者を生み出した。日本でも、1995年に研究用に運営されていた福井県の高速増殖炉「もんじゅ」でナトリウム漏洩事故による火災、1999年には茨城県の東海村にある株式会社JCOのウラン加工工場で臨界事故が起こり、死亡者を含む被曝者を出した。

そして、2011年の東日本大震災に伴う東京電力・福島第一原発の事故は、深刻な被害をもたらすことになる。

平和的利用を目指していたにもかかわらず、事故や突発的な自然現象によって、先端技術が人間や環境に大きなダメージを与えている。

影は兵器だけではなく、すぐそばにも

人類が扱いに手を焼いてきた技術は、原子力や兵器だけではない。身近なインターネット技術も同様だ。

政治、経済、医療、教育など、社会や生活の隅々まで浸透し、もはや世界的に不可欠なインフラとなったインターネットだが、その依存度を逆手にとって悪用しようとするサイバー犯罪が大きな問題となっている。フィッシング、ワンクリック詐欺、マルウェア（コンピュータ・ウイルス等）、ランサムウェア（不正プログラム）、有害情報など、金儲けや攻

撃の手段として、悪意ある人間の強力な武器となっている。対策を講じても、穴を見つけ出したり、それを上回るハッキング技術を駆使するため、その脅威から完全に保護されるることはいまだできていない。サイバー空間における犯罪は極めて深刻な情勢となっている。

このように、技術が画期的であればあるほど、人類はその扱いに難儀する。先述した人工知能やゲノム編集技術においても、当然こうした状況は付きまとう。

インターネットのように人工知能が広範囲で利用されるようになるにつれ、サイバー犯罪のターゲットになる。フィッシングやマルウェアによる犯罪が人工知能によって高度化、自動化され、悪質度は増す。メール内のリンクをクリックさせて個人情報を盗用したり、添付ファイル経由でマルウェアをインストールさせてデータを破壊するなどの犯罪でも、ChatGPTを活用することにより巧みな文章で騙す能力が上がり、巧妙な人工知能製のフェイク画像でなりすましも容易《たやす》くなる。

また、ゲノム編集技術についても、サイバー犯罪の延長線に置かれかねない。人間のゲノムが完全に解読され、遺伝子が情報になると、それはまさしくデータである。遺伝情報にアクセスして盗み出したり、遺伝情報を悪意を持って改変し、人体に悪影響を及ぼす犯罪も考えられる。動物のゲノム編集食品が市場に広く出回るようになれば、悪意は、食品を操作し食べた人に危害を加えるテロに向かう可能性もある。科学技術の影は、兵器だけではなく身近なところでも作られるのだ。

データポイズニング——AIに毒を盛る

歴史の浅いAIの分野でも、「悪用」されるリスクについては、既に研究者たちが警鐘を鳴らしてきた。悪用の一例が、AIの学習のための「訓練データ」に〝毒〟を仕込み、学ばせることで、AIの誤作動を誘発させるサイバー攻撃である。その毒とは、「悪意ある改ざん」であり、「意図的に混入された誤情報」だ。こうした攻撃は「データポイズニング（data poisoning）」と呼ばれ、悪意ある攻撃者がデータセットを操作し、機械学習モデルに誤ったデータをもとに学習させる。これによって、AIに〝意図的に〟誤った判断を下させることができてしまうのだ。

米Google、ETH Zurich、NVIDIA、Robust Intelligenceに所属する研究者たちが2023年2月に発表した論文「Poisoning Web-Scale Training Datasets is Practical」は、この悪意ある改ざんに対する脆弱性を明らか

にした。

この改ざんは、ＡＩモデルが膨大なデータからパターンを学ぶ性質を利用している。入力したデータに対してコンピュータがパターンを発見したり、判断した結果を出力する機械学習モデルの学習用データセットでは、その多くがインターネットの世界を徘徊して無差別に集めた大量のデータが使われている。しかし、これらの収集データの信頼性は保証されておらず、データの品質を保証するには手作業でデータを集めてチェックする必要があるが、データが膨大な量になるほど、その保証は現実的ではなくなる。そうなると、ネット上に撒かれた悪意あるデータや、攻撃対象の訓練済みモデルが誤った推論をするように攻撃者が悪意を持って加工したデータを、学習用の素材として取り込んでしまう隙が生まれる。

そして、少量の毒によってデータのごく一部に細工を加えただけだとしても、機械学習モデルに悪影響を与えられる。バックドア（内部から外部へ通信するための裏口）が設置されることで、悪意を持った者がそこへ継続的に侵入し、毒を盛り続けることができる。〝毒〟によって誤った学習をしてしまった結果、人種差別や性差別などの偏見を助長させることや、攻撃者の意図通りに有害な行動を引き起こすことも可能となる。攻撃対象が、国家や社会インフラとなれば、被害も甚大になる。毒は簡単に盛ることができ、毒の量次第では社会を混乱に陥れる。

研究チームは警鐘を鳴らすとともにデータポイズニングを防ぐための策を提案しているが、システムが複雑になればなるほど、そのシステムにおける脆弱性のマネジメントは難しくなる。そこに毒を盛ろうとする悪意が消滅しない限り、いたちごっこが続くだろう。

科学技術のデュアルユース

紀元前から人類は戦争・紛争を絶えず繰り返してきた。最も古い記録である紀元前15世紀の古代エジプト軍とカナン連合軍のメギドの戦いに始まり現在に至るまで、人間の本性が駆り立てる戦争・紛争はなくなっていない。歴史を俯瞰すれば、第二次世界大戦が象徴するように、戦争・紛争を拡大し、死亡率を上げるのは、その時代の革新的な技術であることがうかがえる。

ゆえに、科学技術を駆使して強力な兵器を開発することは、どの時代においても重要な国策となった。結果として、民生にも軍事にも使用可能な「デュアルユース」は常態的な問題として横たわる。科学技術は人間の生活に役立ち、軍事にも利用できるという二面性を持つ。

2011年3月11日に発生した東日本大震災の際、福島第一原発で起きた原発事故の情報把握のためにいち早く飛んできたのは、米軍の高高度滞空型無人偵察機であった。さらに、米iRobot社のPackBotやWarriorのような軍用ロボットが現場に投入された。無人航空機のドローンやロボットは、兵器として使用可能でありながら、このような緊急事態に重要な役割を果たす。

人工衛星と弾道ミサイルは技術を同じくし、そして監視カメラで走行中の車両のナンバーを読み取り照合できるNシステムは犯罪防止を目的としながら、使い方次第では有力な監視、自動解析装置システムとして、軍事的な偵察にも役割を果たすことができる。

科学者の意図しない形で軍事に利用されてしまうこともある。日本人が発明したフェライトという酸化鉄を主成分とするセラミック入りの塗料は、エレクトロニクス産業には欠かすことのできない素材に育ったが、金属の磁性材料より電気を通しにくく、ステルス戦闘機の塗装にも使われるようになった。科学者の意図しない形で、敵のレーダーに引っかからない、見えない戦闘機に有用な技術となってしまったのだ。

そもそも、部品や材料のレベルになると、民生用と軍事用の区分ができない。ジェットエンジンの材料になるチタン合金は、旅客機にも戦闘機にも使用される。炭素繊維は、ゴルフクラブのシャフトにもなれば、戦闘機の胴体や翼にもなる。火薬は産業用にも使われるが、爆弾にもなる。部品や材料は目的を区分できない共通技術となり、それがどのような構成品になり、システムになるかをコントロールできない。

現代の科学技術では、特に情報科学技術分野の影響が大きくなる一方だ。あらゆる人の生活や仕事に直接関係する性質を持ち、地理的条件や国境を越えて世界中でアクセス可能な科学技術ということもあり、普及も速い。

とりわけ、デュアルユースの主役的存在になりつつある科学技術の一つが人工知能だ。画像認識、分析力を生かし、犯罪者や不審者の抽出を行うことや、群衆の中から記録が不十分な市民を区分するために、人工知能を使用して住民の監視を行うことは、セキュリティ強化の一環ではあるが、プライバシー侵害や過剰な監視社会の問題をはらんでいる。

また、戦局を有利にするために、人工知能を使った兵器の自律化（自律兵器）が世界の軍事技術のトレンドになりつつある。自国の軍事技術によって相手の戦力を相殺することで軍事上の優位を確保する「第三の相殺戦略」においても、人工知能は柱の一つとなっている。
無人飛行機や無人潜水艦等に人工知能を活用することで、自律的に機能する無人兵器にもなる。自国の軍隊の人的被害を抑え、敵の中枢をピンポイントで破壊できるようになる反面、戦争のハードルを下げ、安易に戦争を増やすことになりかねない。誤爆によって民間人を巻き添えにする可能性もあるが、誤爆の責任の所在は不明確だ。こうした懸念材料が残る中、攻撃性を兼ね備えたAI兵器、いわゆる「自律型致死兵器システム（LAWS＝ローズ）」は、米国、ロシア、イギリス、フランス、中国、イスラエル、韓国などで研究開発が進んでいるとされる。

科学の世界は、必ずしもオープンで全体像が明らかとは限らない。研究者でさえも巨大で複雑な科学の全体像を把握することは容易くないが、一般の人々にとっての科学は縁遠く、詳細を理解することは困難だ。個々の研究に専念しているつもりが、誰がどのような目的で行っている研究であるかも理解されないまま、ブラックボックスの中に置かれることもある。ブラックボックスの中で、望まぬ形で軍事に利用されてしまうデュアルユースもあり得る。資本主義が科学の商業化の色彩を強め、結果として軍事に利用されることもある。

いずれにせよ、軍事利用を想定していないどのような研究でも、意図せずデュアルユースの網に引っかかってしまう可能性を抱える。民生用の商品を開発して輸出する際に、使い方次第で軍事利用される可能性があると判断されてしまうと、規定に抵触して輸出禁止にされてしまう。多種多様な研究が、軍事に使えるかの品定め対象となり得る。一方、デュアルユースのリスクを回避するために、軍事研究を禁止するルールを厳格化しすぎると、研究の自由度を損なう弊害があり、社会に役立てるための研究であっても進めにくくなる。

現実的に、デュアルユースを恐れ、科学技術の軍事利用のみを禁止することは原理的に困難である。デュアルユースが可能な研究を全面禁止すれば、科学技術の発展は止まってしまう。そのジレンマからの脱出は、不可能に近い。

科学技術の革新は、社会や経済の進化を促し、多大な貢献をもたらしてきた。一方、これまでの歴史を振り返れば、人類の利益に反する形で軍事用に転用されたケース、意図的に悪用もしくは誤用されたケース、意図的ではないが悪影響をもたらしたケースなど、科学技術は、人間、社会、地球環境に対して様々な形の損害をもたらし続けてきたことがわかる。

「滑り坂理論」が示唆する暗転のリスク

ゲノム編集の分野では、禁忌とされる開発行為も存在する。たとえばゲノム編集ベビーやエンハンスメントなどで、これらは現時点では、倫理的に許容しがたいものとされている。

あるいは人工知能の分野でも、安心な暮らしを根底から揺るがすようなもの、たとえば、監視への批判もある顔認識技術の利用や制御不能な人工超知能の開発は、タブー視され始めている。

だが、80億人超の人間が住むこの地球上で、すべての人が相応の倫理観のもと、自制心を持ち続けるとは考えにくい。利益を追求する企業や、技術の発展で地位を高めようとする国家の戦略によっては、負の連鎖が加速する。

それを示唆するのが「滑り坂理論」である。滑り坂理論とは、もし最初の一歩を踏み出すと、ある行為を倫理的にも許容したことになり、それに近似した行為をも許容することにつながり、結果的にそれに続く過程に連鎖的に巻き込まれ、徐々にもしくは一気に悪しき結果に陥ることも避けられなくなることを主張する理論である。一度坂を滑り出すと最後まで止まることができなくなるので、最初の一歩を踏み出すべきではないということだ。

たとえば、一般的に次のような論法になる。

〈もしあなたが最初の一歩Aを踏み出すならば、あなた、もしくはあなたと近似する要素を持つ別の行為者によって類似の行為が次々と連鎖的に行われ、その結果、行為Bが必ずなされるか、あるいは非常に高い可能性でなされるだろう。Bを道徳的に許容できないとすれば、あなたは第一歩Aを踏み出してはならない。〉

ヴィブレン・ヴァン・デア・バーグの論文「滑り坂論」によれば、滑り坂理論は「論理型」と「経験型」に分けられるとする。論理型の定式は「一度Aを許してしまえば、論理的にBを許す過ちを犯す」ことになり、経験型の定式は「Aを受け入れてしまうと、心理的、社会的なプロセスの結果として、最終的にBを受け入れる」ことになるのだとする。

この理論の妥当性については、観点によって様々な議論がある。生命倫理学の中で構築されてきた理論の一つであるが、本当にそのようにエスカレートして滑り坂を滑落してしまう根拠の脆弱性や論理的誤謬《ごびゅう》を指摘されることも多かった。

基本的な反論の一つとして、「道徳的に不正でないAと道徳的に不正であるBの間に明確な線引きをすれば、Aを許したからといってもBまでも許すことにはならない」というものがある。しかし、AとBの間に明確な線引きができたとしても、われわれはいつの間にかその一線を越えてしまうのではないかという不安が残り、その不安を論理的に解消することが困難な点において、滑り坂理論を否定しきれない。

黒崎剛「生命・遺伝子操作に適用された『滑り坂論』の意味を捉えるために」（京都大学大学院文学研究科倫理学研究室）はバーグの先の論文を踏まえ、生命・遺伝子操作の滑り坂理論は、最初の一歩から滑り落ちる最終地点は未来に向かっており、一定の時間を経過することを前提としているため、坂を滑るかどうかはその間に起こる経験の内容に依存することは明らかだとする。それは論理の問題ではなく、社会情勢に左右されるのだとすれば、論理型の滑り坂論は生命操作の問題においては無駄ということになるが、生命操作の滑り坂論自体が無駄と捉えるのは性急だと指摘する。生命操作の最初の一歩を許すことにより、世界のあり方が抜本的に変化することの危険性について熟考しなければ、問題の本質を見誤ることをその理由としている。

倫理的には科学技術は中立的な存在であり、それを正しく使うか濫用や悪用するかは人間側の問題である。そして、科学技術が用いられる際の環境や条件の影響を受ける。たとえば、原子力は世界規模の大戦や冷戦の時代に発展したために、兵器として利用されることになったが、平和でエネルギー問題もない社会で開発されたとすれば、もしかしたら兵器にはならなかったかもしれない。それと同様に、滑り坂論におけるゲノム編集技術も、技術そのものが勝手に坂を滑るのではなく、その時点の環境や条件によって人間が坂を滑らせてしまうことになるかが問われる。

戦争が起こったり、人間の能力を拡張しなければならない状況に追い込まれたときに、人工知能の積極的な軍事利用やゲノム編集による過剰なエンハンスメントがなされ、人間が坂を滑らせることになる。「もしAを許せば」という前提は、そのような諸条件を介して「Bも許されることになる」という結論を現実のものとする。人間が作り出す社会システムの中に、科学技術を坂で滑らせる条件が存在し、滑らせる主体は科学ではなく人間である。道を滑り坂にする条件が実在することこそが真の危機であり、滑り坂論は論理的に誤りだとする指摘があっても、無視できない議論である。

加えて、科学政策を司る政治の民主化のレベルによっても坂の滑りやすさは変わり、国家や企業の利益追求、科学者の探究心や欲などの性質、優生学、イデオロギーの存在などが坂を滑るための条件になると先の論は警鐘を鳴らす。そして次のように結論づけている。

〈滑り坂論を成り立たせる前提は坂の下にあるものが「悪しきもの」であることだった。しかし優生学はともかく、遺伝子操作技術を人間改造に適用するのは濫用・悪用だというのは実は共通の前提ではない。改造された人類が切り開く可能性を肯定的に語っている人は科学者に限らずいくらでもいる。だから人間改造に関しては、生命・遺伝子操作の滑り坂論の背後にある真の問題は坂を滑ることそれ自体ではなく、人類の将来を何に託すかという未来選択の争いなのである。〉

実際、ゲノム編集や人工知能における問題は、悪意によって坂の下の暗闇へと転落させることだけではなく、人間の可能性を拡張しようとする未来志向の中にも存在する。遺伝子操作や人工知能の技術によって、濫用や悪用とは認識せずに良かれと人間を改造することが、結果的に生粋のホモ・サピエンスの終焉につながるとすれば、いかにも滑り坂であるものだけが問題になるとは限らない。

滑り坂理論以外にも、一つの出来事が負の連鎖につながるという考え方はいろいろある。そうした考え方の一つである「ドミノ理論」は、「AならばBが起こる、BならばCが起こる、CならばDが起こる、ゆえにAならばDが起こる」という連鎖する論法と言われる。この理論は、「ある一国が共産主義化すれば動きはドミノゲームのように隣接国に及ぶ」という冷戦時代の米国の外交政策上の考え方に基づく。1974年にインドが中国に続き核実験をし、1980年にミサイル開発に着手、それをパキスタンが追うといった将棋倒し的核拡散は「軍拡ドミノ」と表現された。2022年2月に開始したロシアによるウクライナへの軍事侵攻など、今もなお世界では戦争が行われており、負の連鎖と紙一重のところに人間は立たされている。

人間の本性——欲望が科学に影を落とす

科学技術による影はどのように作られるのか、歴史を振り返りながら論じてきた。そこで留意しなければならないのは、影を落とす主語は科学技術ではなく、常に人間であるということだ。ここでは、なぜ人間は影の作り手になってしまうのかについて掘り下げることにする。それこそが、AIやゲノム編集技術に影を落とす危険性の根底であり、人類滅亡を回避するためには人間の性質を理解しておかなければならないからだ。

そもそも人間は、私利私欲を持つ生き物である。

中国戦国時代の思想家である孟子は、人間は生まれながらにして善であるとする性善説を唱えたが、性善説では、人間が悪に転じる可能性についても説いている。人間の性はもともと善であっても、欲を持つと悪を行うようになってしまう。外からの影響を受けることによって、本来の心の善の兆しが曇らされるのだという。だからこそ聖人の教えを学び、礼を身に付けるといった教育を受けることにより本来の善・仁の心を持ち備えるべきであると説く。

一方、性悪説で知られる中国戦国時代末の思想家である荀子による『荀子』第十七巻第二十三性悪篇には、人間の本性すなわち生まれつきの性質は悪であって、善は偽すなわち後天的な作為の矯正によるものだとする記述がある。

この教えによると、人間の本性には生まれつき利益を追求する傾向があり、この傾向のままに行動すると、他人と争い奪い合うようになり、お互いに譲りあうことがなくなってしまう。また、人間には生まれつき嫉んだり憎んだりする傾向があり、この傾向のままに行動すると、互いに傷つけ合うようになり、誠意を尽くして信頼し合うことができなくなる。さらに、人間には生まれつき美しい声を聞いたり、美しい色彩を見たがる傾向があり、この傾向のままに行動すると、節度を越して勝手気ままに振る舞うようになり、礼儀や道理をないがしろにするようになってしまうのだとする。

人間の本性の赴くままに行動し、憎しみ合い、傷つけ合い、争い奪い合う。信頼や道理なき混乱の世界で、技術の濫用や悪用が行われやすくなる。人間の生まれつきの性質は悪いものであるからこそ、善い性質は後天的な矯正によるものであり、世の中が平和に治まるように後天的努力で修正して前へと向かうべきだとしている。

荀子は孟子の性善説を批判し、性を欲望も含んだものとして捉え、あるがままの人間の本性は悪であるとした。そして、外在する「礼」すなわち学修によって人間を矯正する必要があるのだと説いた。孟子が人間の主体的な努力で社会全体を統治できるという人間中心主義であったのに対し、荀子は君主が社会に制度を制定しなければ人間は悪に流されてしまうという社会システム重視であった。

性善説でも性悪説でも、人間は悪と無縁ではない。だからこそ、悪に流されないための制度や仕組みが必要であるということは、テクノロジーの分野においても言えることではないだろうか。現状、ゲノム編集や人工知能の技術は著しい速さで進化しているが、それに対して制度設計をはじめとした対策が追いついていない。悪用される余地や、利益追求に駆り立てられた組織が非倫理的な行動を取る隙も多く残されている。後述するが、本書で示す回避策は、この人間の性を踏まえた世界の制度設計である。

一元論と二元論

性善説と性悪説があるとしても、そもそも、善と悪の区分や、何が善で何が悪かという解釈も、観点によって違ってくる。一元論と二元論は、その典型である。

すべての実存は究極的には一つであり、特定の問題や現実の事象を一つの原理で説明しようとする立場を「一元論」という。一つの実体から現実が成り立っているとする一元論は、哲学の一分野である形而上学の諸学説を指し、自分と相手、善と悪のような区別はなく、すべてが一つであるという考えである。

「二元論」は、異なった二つの原理で、世界や事象など、あらゆるものを説明しようとする立場で、実在を二つに区分する。多様性を実在的と考える「多元論」は、実在に対して数的な規定を行わず、相互に独立な複数の根本的な原理によって世界を説明しようとする立場である。二元論も多元論の一つになる。

一元論と二元論、もしくは多元論、いずれの一つが正しいと断定することはできない。なぜなら、これらは見方を変えただけに過ぎないからだ。

一元論は状態、二元論は変化に視点を置いている。性善説や性悪説のように、一元論は、人間の性質は基本的に同じであると捉え、同一性に着眼する。「人間はすべて善である」「人間はすべて悪である」というように、「すべての人間はこうである」と一元化する。すべての人間を同一に扱うことで、全体適応力のある社会的な政策を作りやすいため、一元論は政治や社会と結びつきやすい。

二元論は、状態や性質は変化するという前提でものを見る。「陰と陽」や「春夏秋冬」のような変化に目を向け、そこにうまく適応することで、生き抜く上で効果的な概念となる。個人や個性のように、違いをうまく使うという発想と結びつきやすい。

結局のところ、一元論も二元論も、どちらが正しい、どちらが悪いと断定する尺度ではなく、ものの見方でしかない。状態に目を向ければ一元論になり、変化に目を向ければ二元論になる。これらに則れば、性善説・性悪説も、一つの限られた社会でしか通用しない発想ということになり、すべての人類に当てはめることができない。
だからこそ、科学技術が坂から滑り落ちることを世界が一丸となって防ぐことは難しい。

社会や環境、立場によって善悪は異なる

たとえば、ある社会で「人工知能などに頼らず、人間の力だけで生きていくこと」を善とすれば、他の社会では「人工知能を活用しないせいで、社会の成長を阻害している」という悪にもなり得る。また、ある環境下において「デザイナーベビーにより、生命誕生を操作することは善である」という価値観があったとして、もし別の環境下でデザイナーベビーを禁止することがあれば、それは悪になる。

つまり、社会や環境によって、善悪や価値観は異なり、逆転することもある。どこかの社会や環境において、いま悪だと判断されていることが、社会や環境が変われば善に転換することもあるし、その逆も然りである。実際、人間が生きる世界は多種多様な社会や環境が組み合わさっている。国家、地域、政治、経済、教育、人種、思想、文化、年齢、性別、趣味嗜好、身体的特徴、気候など、様々な社会や環境が存在し、複雑に絡み合い、世界が構成されている。社会とはいっても統一的な社会はないゆえに、普遍的な善悪の定義

はない。

価値観は人によって様々だ。それが一致することもあれば、不一致のこともある。不一致が極端になると、争いごとに発展しやすい。価値観のすり合わせは難航することが多く、いわんや価値観の完全一致は夢想に近い。価値観同士に常に溝が残るということは、溝を悪用できる余地も残る。

人それぞれ立場が違えば、一つの事実の捉え方も違う。事実を一つの正論、持論としても、それが全ての人への説得材料にはならず、全員一致の正論や持論というものは現実的ではない。それぞれの立場こそが正しいと思い込み、わが正論を持論として互いにぶつけ合い、エスカレートしたものが戦争であり、戦争はいまだになくならない。

一元論や二元論、社会や環境、そして立場、いずれの観点でも固定化された善悪、正論というものがないことを前提とすると、この世界は、誰かにとって悪とされる行為が、それを悪と解釈しない誰かによって実行される状態にあると言える。

バイアスが生む「悪意なき悪意」

悪気ないつもりの一言が、うっかり人を傷つけてしまった経験は誰しもがあるだろう。

中には悪気がなかったにもかかわらず、修復の難しい人間関係の亀裂に達してしまうことすらある。たとえ本人に悪意がなくても、他者に悪意として受け止められてしまえば、それは「悪意なき悪意」となってしまう。本人には悪意がないからこそ、それが問題になっても当の本人がピンとこないこともある。

悪意なき悪意においては、そもそも悪意がないことが前提となるため、善悪論や道徳観に訴えてもあまり効果的ではない。偏見や差別も、悪意から発生したものではなく、認知のバイアスによるものであったりする。たとえば、大企業に就職できなかった人は負け組だという仮説を持っている人が、その仮説に該当するようなケースに遭遇して印象に強く残ると、その人にとっては事実の裏付けとして情報処理される。そのうち、負け組という差別が生じたとしても、あくまでも事実として正しく評価したつもりになる。悪意なき悪意であったとしても結果的に悪意と変わらない偏見や差別の発生源となる。

人工知能の活用に肯定的な仮説を持っている人にとって、仕事で人工知能がとても役に立った経験が検証材料として強い印象を持つようになると、結果的に人工知能が超知能化することは正しいと評価し、人工知能が不都合な存在になるという反対意見を否定的に捉えてしまう可能性がある。もし、人工知能が人間にとって不都合な存在になってしまったとしても、推進肯定派には悪意はなかったことになる。

ある人の主観として「正しい」と認知していることが、仮に他の人の主観では「悪い」と認知されたとしても、様々な事象を材料に各主観が強化されれば、主観同士の溝は埋まらなくなる。

また、人間には他者と共感できる性質が備わっており、それによって集団を作り、組織的に助け合いながら社会を発展させてきた。この共感で結びついた個々人の主観が集団的になると、組織としての主観が形成される。戦争はその典型とも言え、国家同士の集団的主観の相違が大きくなってしまうことで起こり、国民の中には国家の主観と合わない人がいたとしても、国家の主観に巻き込まれてしまいやすい。戦争は悪いことだと認識している一般市民も、戦争を是とする国家の主観の犠牲となる。大量に人間が殺されようとも、それを自国の正義のためだとする主観によって遂行されている。

科学技術においても、個人の主観が共感によって集団的主観へと拡張し、その主観は悪意によって形成されないのだとしても、人類全体として負の方向へ押し出す力になることがあり得る。「ゲノム編集による人間の能力拡張は、人間と社会の発展にとって必要な技術である」という悪意のない集団的主観があったとして、それを実践してしまったとすれば、小さな集団だとしてもホモ・サピエンスへの波紋となる。さらに反対勢力との紛争や、負けじと対抗しようとする他の集団の多発、集団の巨大化が重なれば、まんまと滑り坂を滑り落ちることになる。きっかけは悪意がなかったとしても、だ。バイアスによる結果的な悪意は、主観としては悪意はないため反論に対する敵対心も生まれやすく、その客観視もできない。

科学を平和のためだけに使うことは可能なのか

科学技術、たとえば何らかのシステムを持つ機械が暴走したときの破壊力には規模の違いがあるが、中には制御を失ったときの破壊力が人類の生存にかかわるほど大きいもの、人知を超える破壊力を持つものもある。常識的に考えれば、破壊力が想像を超えるものには手を出してはいけないということになる。一度手を出してしまったら、制御する側が常に優位を保て、かつ完全に制御可能な仕組みを作らない限り、その危険性から逃れることはできない。

しかし、人間の歴史はその手の機械や技術に対してあくなき探求心を持ち、部分的には制御をしながら挑戦を続けてきた。人類から進化したいという本能が消えない限り、進化に向けた歩みは簡単には止められない。リスクの予測や制御不可能な科学に挑んだ瞬間から人類が大きな課題を抱えるとしても、まだ見ぬ科学の成果物を見てみたくなる衝動は、それを片隅に追いやるだけの熱となる。

核兵器も、人類を滅ぼしかねない巨大な破壊力であるという認識を持ちながら制御することに努めてきたわけだが、これを悪用しようという人間が出てきた場合、100%安全を保証する仕組みも理論もない。結局、核兵器は使われてしまったという事実がそれを物語る。

正義の技術者が制御システムを考案、開発しても、システムである以上何らかの不調は発生し得るし、正義の技術者が変心したり、悪用されたりすると一瞬にして暗転する。

2023年5月、人工知能研究の第一人者であるジェフリー・ヒントン氏は、想定よりもはるかに速く人工知能が人間より賢くなる可能性があることに気づき、その危険性について自由な立場で話すためにGoogleを退社したことを発表した。ヒントン氏は、人工知能は説得力のある偽の画像や文章を作成する能力を持つようになり、何が真実なのかがわからなくなる世界を作り出すことを懸念している。そして、その悪用を防ぐ方法の見当がつかないと述べている。

- 人間が、人工知能のメカニズムをコントロールしきれなくなること。
- 人間に危害を与える命令が、人工知能に与えられること。
- 倫理観等が望ましい状態で組み込まれていない人工知能を開発すること。

様々なリスクを抱えながら、人工知能開発が進む。そして、進化をすればするほど制御の困難さが増し、暗転したときの破壊力も強烈になる。

科学は本質的に中立的な存在であり、人間や社会の目的や意図によって利用され、性質が形成される。だから、科学によって人間や社会を発展させ、平和のためだけに使う選択肢はある。何を選択するかは、あくまでも人間の思考、行動次第なのだ。

人間は、科学を地球上で生き抜くための手段にしてきた。医療、食糧、エネルギー、移動、経済など、あらゆる場面で科学抜きの世界は考えられない。同時に、生き抜くためだけではなく、争いのための武器にもしてきた。人間が壊した地球環境を、科学の力によって回復させようともしている。

「科学が平和的な目的にのみ使用されるためには、倫理的な指針、規制、国際的な協力が必要である」と結論づけられることは多い。科学を科学によってだけ平和的用途に制限することは現実的ではないため、結局は科学以外の分野における解決策に頼らざるを得ない。では、その倫理、規制、国際的協力によって、科学が悪意のある使用や軍事目的に利用されることを防げてこられたのだろうか。

もちろん、防げたことは数え切れないくらいあり、これからも防ぐ努力はなされるだろう。しかし残念ながら、防げなかったことも多く、世界が隅々まで平和であったことがない。倫理、価値観、正論の不一致、消滅することのない悪意などが、科学技術を坂から滑り落とす根源的理由となる限り、科学と影のメカニズムのジレンマから脱出することはできない。

第4章

〝終末〟を避けるために何ができるか

利用価値が大きい先端科学技術をめぐっては、それを利用する様々な動機と目的がある。その中には、規制の穴を探したり、強制力を伴う禁止を踏み越えていく悪用も含まれる。環境や立場が変われば、法律、倫理、価値観、善悪、正論も変わる。それが前提である以上、滑り坂理論などに基づく最悪の未来を理論的に完全払拭することはできない。

最悪な未来を回避するためには、法律や倫理といった要素が一体となって回避の要件を満たさなければならないが、全人類が足並みを揃えて回避の各要件を満たす方法は確立しておらず、万全なシステムもない。

残念ながら、いまもどこかの個人、組織、国による方向性の差異が軋轢《あつれき》を生み、最悪の事態に至るリスクを抱えている。ゲノム編集や人工知能の技術的性質を鑑みると、一体感のない世界の中で、誰かが利用の仕方を誤ったときは、人類滅亡への滑り坂を滑り始める。

人類の〝終末〟を避けるために、回避のアプローチを考えたい。

最悪な未来を作り出さない構造

この上ない善、「最高善」。倫理哲学における、善悪を判定する究極の規準となる最高の道徳的理想としての最高の善は、古代ギリシャの哲学者であるアリストテレスをはじまりとして、様々なものが説かれてきた。アリストテレスの著作『政治学』では、人類最高の共同体である国家の目的は最高善であるとし、ドイツの哲学者であるカントは、最高善を実現するためには、無限の道徳的努力を必要とするため、その条件として魂の不死が要請されると考えた。

また、〝行為の善悪はその動機によって判定される〟という倫理観によって形成されるカントの義務論によれば、個々人の行為の善悪は、行為の結果から判断されるのではなく、どのような内心に従ってその行為がなされたのか、行為の意志・動機から判断されるものだとする。この思想における幸福の追求は、行為の道徳性の観点からすれば二次的な意味しかなく、場合によっては有害な要素として退けられる。人間の道徳性のありかは「理性的反省」にあり、快楽や感情はその働きの妨害となる可能性が強いとされる。

一方、帰結主義の一つに分類される功利主義では、個人の行為の善悪はその帰結によって判定される。この思想では、個人の行為は、その個人の属する共同体の観点から、最大多数の最大幸福の実現に寄与するという帰結を持つかどうかによって善悪の判定を受ける。人間が幸福になることを人生または社会の最大目的とする功利主義の考える帰結として、幸福とは人々が感じる具体的な快楽のことである。

現代の応用倫理学、生命倫理や医療倫理における課題解決においては、これらの倫理思想がそれぞれ適度に勘案される場合が多い。しかし、社会や環境、立場によって、善悪の規準も適用する倫理も異なり、普遍性に乏しい。この不一致性、不安定感が根本的な問題であり、先端科学技術の悪用につながる背景となる。最高善という理想も、その問題があるからこそ、果てしなき理想なのだとも言える。

「戦争は悲劇である」「デザイナーベビーは倫理的に許されない」という認識はあったとしても、人間同士の善悪と倫理観の不一致により、世界のどこかで戦争やデザイナーベビーが存在してしまうのならば、多様な持論がすれ違うことを前提に、最悪の未来を作りださないためのアプローチを思案するしかない。

そのためには、倫理のさらなる探究だけではなく、研究者の内発的道徳、教育、そして法律、規制のような外的規範を相互補完させ、それぞれ単体の効力の限界をカバーし合うことだ。第2章で触れたゲノム編集のＤＩＹバイオ問題などを踏まえると、研究者や医療関係者以外の一般市民も直接的あるいは間接的なステークホルダーとなるため、対象についても広範に検討しなければならない。

最悪な未来を回避するための制度設計
①先端科学技術のＥＬＳＩのアプローチ

倫理的・法的・社会的課題の連動

人類が厳しい自然界を生き抜き、さらに発展しようとする本能を持つ限り、新領域の「先端科学技術」を探究することになる。新領域は得てして未知数である。新領域であればあるほど、良い方に転んでも悪い方に転んでも、予見不足に陥りやすい。

米国の経済学者であるフランク・ナイトは「不確実性という概念とリスクの違い」を説いたが、それによれば、「測定可能な不確実性（＝本来のリスク）」と「測定不可能な不確実性（＝真の不確実性）」に区別される。ゲノム編集や人工知能には、本来のリスクだけではなく、真の不確実性も含まれていることを認識しておかなければならない。

先端科学技術が及ぼし得る社会的悪影響に関しては、自然科学に加えて社会科学の観点から「ELSI（Ethical, Legal, and Social Issues）：倫理的・法的・社会的課題」が重要視されている。「ELSI」という全体の概念、さらには「倫理的（Ethical）」「法的（Legal）」「社会的（Social）」といった個別課題の検討については、様々な科学技術分野で多くの検討や研究が存在する。ここからは「先端科学技術の不確実性政策における『法』と『倫理』の隣接点」（『場の科学』通巻第5号 Vol.2 No.2 著：中山敬太）の論を借りつつ、先端科学技術を正しく扱うためのアプローチについて解説していく。

先端科学技術の高度化、複雑化、高速化が著しくなり、特にゲノム編集や人工知能などは人間そのものに過激な影響をもたらす余地が大きい。そのため、あとの祭りにならないように研究の早期段階から倫理的・法的・社会的課題の観点からも適切な対応を行う必要がある。

たとえば、ゲノム編集であれば、技術が未熟で安全性に懸念があること、ゲノム編集を受ける個体や将来の世代への影響が未知であること、治療とエンハンスメント（増強）との境界が曖昧になりやすいこと、社会的格差が生まれる可能性があることなど、複数の科学的・倫理的・法的・社会的課題が未解決のままである。

先述した2015年12月に行われたヒトゲノム編集国際サミットで採択された声明を、改めて確認したい。声明では、ヒトの生殖細胞系列へのゲノム編集は次のような6つの問題をもたらすと述べている。

1. オフターゲットやモザイクといった技術上の問題
2. 遺伝子改変がもたらす有害な結果を予測する困難
3. 個人のみならず将来の世代への影響を考える義務
4. 人間集団にいったん導入した改変を元に戻すのは困難
5. 恒久的エンハンスメントによる差別や強制
6. 人間の進化を意図的に変更することについての道徳的・倫理的検討

1、2、4は科学技術的な問題、3、5、6は倫理的及び社会的な問題である。これらの問題ひとつとっても、「ELSI」からの複合的なアプローチが必要であることがわかる。
一方で、科学技術に伴う問題は科学技術的におのずと解決されるもので、倫理的分析は科学技術にとっては不必要だとする主張もあり、「ELSI」の捉え方自体にも温度差がある。

先端科学技術における課題の複雑さを考慮すると、「ＥＬＳＩ」については、それぞれの特性を活かしながら、横断的アプローチが必要となる。

たとえば、法律と倫理は、法律で不十分な要素を倫理で補い、倫理で不十分な要素を法律が補う補完関係にあると考えられている。一方で、ドイツの公法学者であるゲオルグ・イェリネックは「法は倫理の最小限」、ドイツの経済学者であるグスタフ・フォン・シュモラーは「法は倫理の最大限度」とし、法律と倫理の立ち位置にも違いがある。

また、社会はうつろいやすく不安定で、法律はその社会情勢の影響を受けるものの、改正や制定に時間を要することが多く、それに対して倫理は比較的安定的であるため、倫理を上位概念に置き基盤とすべきだという見解もある。

法を倫理の最小限にすること、法を倫理の最大限とすること、もしくは最小と最大の間のどこかでバランスをとること、いずれが科学的不確実性のリスク回避にとって望ましいかは、テーマと置かれた状況によっても変わる。ゲノム編集や人工知能の発展速度と社会にもたらす変化の大きさを踏まえると、それに対応できる「ＥＬＳＩ」の連動のあり方を新たに見いださなければならない。安定的とされる倫理も揺らぎ、法律による対応のスピードアップが求められることが想定され、固定概念は通用しなくなる。

法律と倫理の性質の違いとしてよく挙げられるのが、「法律の外面性」と「倫理の内面性」である。法律は人間の外部に現れた行為の規律、倫理は人間の内心を規律するもので、前者は外的な強制力、後者は自律によるものとなる。社会秩序を維持し、社会を存続させることを目的とする点は共通するが、法律が緩和されて秩序を保てなくなることもあれば、法律が自律性の弊害になってしまうこともある。だからこそ、相違点と共通点を理解した上で、効果的なアプローチを設計する必要があることを先の論も指摘する。

たとえば、法律を先端科学技術における悪意抑制の手段としつつ、法律による規制と管理が及ばないところでは、企業や研究機関等が自主的にガイドラインを作成し、自律的な管理と規制を行うようにする。主体者となる企業や研究機関、そこに従事する個人は、先端科学技術の不確実性とそれに伴うリスクに関する情報把握やデータ分析を入念に行い、責任を全うする。

あらゆることが法律の強制的な規制によってコントロールされずに、自主的な管理や規制のもとで研究開発や事業を推進できる自由度が担保されることは、法律と倫理に役割分担させるメリットだと言える。

ここからは、不確実性を伴う先端科学技術を人類滅亡の原因へと転落させないために、法律、倫理の役割と、その連動のアプローチを検討していく。

法律による滅亡の回避策

まずは、法律単体の役割から検証したい。

行政的な規制だけでは、強制的な措置や刑事罰を与えることはできない。また、複数の利害が対立している領域では、規制の決定プロセスが透明でなければ、前提となる事実的知見に変化が生じたときの見直しを的確に行うことが困難となる。変化が急速で、未知数な部分が多い先端科学技術分野では、特に留意が必要だ。

専門家が科学的知見の開示に努め、開示された情報をもとに民主主義的な議論を重ねて政策が決定されるが、このプロセスにおける責任は立法者と有権者にあり、必要に応じて政策を随時見直すことが求められる。

また、法制度は人間社会の持続可能性を実現するものでなければならず、人類の存続を危うくするような法制度のまま野放しにしておくことは認められない。たとえばゲノム編集技術が、特定の遺伝的形質の選択ないし排除に帰結した場合、その蓄積によって人類の多様性を損ない、種としての人類の存続が影響を受ける可能性がある。法制度の究極の目的は、人類の存続であるとも言える以上、先端科学技術に関する法律を欠くことは考えられない。

社会には法律以外にも倫理を含めた様々な規範があるが、法律だけが外的な強制力を持っている。そのため適用には慎重にならざるを得ず、制定までのプロセスには厳しい基準があり、実際に効力を持つまでには膨大な時間がかかりがちだ。

また、法律による規制を行う上では、原因と結果の因果関係がなければならないが、先端科学技術が持つ未知数な性質により因果関係も不明確になりやすいため、強制力のある法律による規制はどのような場合に許容できるのか、その判断が課題となる。

現状のシステムに委ねている限り、急速に変化するテクノロジーの悪用防止のための規制は手遅れになってしまいがちだ。そこで、「予防原則」の概念により、本来のリスクと真の不確実性の両方に対応できる規制のアプローチが重要となり、先の論も言及している。

「予防原則」は、化学物質や遺伝子組換えなどの技術に対して、人間の健康や環境に重大かつ不可逆的な影響を与えるリスクがある場合、科学的因果関係の証明が不十分であっても、規制措置を可能にする制度や考え方である。新たな科学技術の実践のような、リスクの見積もりが不確実な行為を法的にどのように規制すべきかについては、主に環境規制を念頭に予防原則が支持されるようになっている。確実なデータがないから規制しないという発想ではなく、確実なデータがなくても安全策を講じるスタンスが求められる。

1992年の国連環境開発会議（UNCED）リオ宣言は、原則15で「環境を保護するため、予防的方策は、各国により、その能力に応じて広く適用されなければならない。深刻な、あるいは不可逆的な被害のおそれがある場合には、完全な科学的確実性の欠如が、環境悪化を防止するための費用対効果の大きい対策を延期する理由として使われてはならない」ことを記している。環境の侵害の回避と予防を、事後の回復や除去よりも優先することで、リスクヘッジとなる。

不可逆的な損失は環境問題に限らず、ゲノム編集や人工知能などの先端科学技術も同様であり、応用が望まれる。先端技術の真の不確実性を鑑みると、因果関係が科学的に証明されるリスクだけを回避する規制では対処しきれず、手遅れになる前の予防・予見的アプローチが不可欠である。

科学的な因果関係を明らかにすることが求められる法治国家において、予防原則を浸透させることは容易ではない。無論、因果関係の科学的証明は重要だが、科学技術の性質や進展の仕方によっては、科学的証明の一点張りに足をすくわれる場合があることも客観視しなければならない。特に、ゲノム編集や人工知能のようにいつの間にか取り返しのつかない状態を作り出す先端科学技術に対する予防的方策は欠かせない。

これらを踏まえ、予防原則の適用に際しての法的要件と具体的な適用基準を確立していくことが求められる。予防原則は、欧州を中心に採用されているが、現時点では慣習国際法化していない。

また、国によって法律は違い、全世界での一本化が現実的ではないからこそ、国際的に緊密な連携を取り、人類レベルで本来のリスクと真の不確実性の両方に対処できる法律のあり方を模索しなければならない。

滅亡を避ける上での倫理の役割

次は、倫理単体の役割を検証する。

先端科学技術の進化に置いてきぼりにされぬよう、それが人間や社会にどのような影響を与えるかについての推論と議論を停滞させず、人間としての行動規範を、同時並行、できれば先回りして定めなければならない。

未知数な部分が多い先端科学技術のリスクに対しては、法律が全ての役割を果たせるわけではなく、限界がある。法律の役割だけでは賄いきれないことを明確にし、そこで倫理が果たし得る役割を模索し、さらに果たせる役割の拡張を目指す。

そもそも倫理とは、一般的に、人として守り行うべき道、善悪や正邪の判断において普遍的な基準として定義され、道徳はほぼ同義として扱われる。しかし、国や環境、立場や価値観が変われば倫理も影響を受け、全世界の全員にとって普遍的な倫理とは何かを問われれば、その解の統一は困難である。普遍的な倫理を確立することが現実的ではないからこそ、ゲノム編集や人工知能が安全に取り扱われ、人類にとってのリスクとならない状態を作ることも容易ではない。そのことを、世界が真摯《しんし》に受け止めなければならない。

特に、ゲノム編集や人工知能のように、生命や知能に直結する科学技術は、人間の根幹に触れるため、倫理的観点の必要性を浮き彫りにする。ゲノム編集による遺伝子改変であれば治療のため、人工知能であれば人間の作業を手助けする手段として、前提は有用な科学として研究開発が進むが、いつの間にか倫理的問題が内在しやすい。科学の有用性にだけ向き合うことは、倫理的問題への対処を鈍化させる要因にもなる。

人類が平和的に存在し続けるために必要な倫理を、世界全体が探求し、すり合わせて調和させることは、最悪な未来を回避するためには不可欠な要素となる。しかし、倫理については、人や国によって認識の違いがあり、唯一絶対的なものがあるようでない「倫理の不一致」が課題となる。この認識の違いにより人や国の指針も異なり、環境によって流動的でもあるため、倫理は不確実性を伴う。何を大事にし、どれを優先し、何をもってリスクとするのか。様々な価値観や目的が交錯し、環境がそれを一転させることもある。

だからこそ、各人が倫理の不一致を理解した上で安全を損なわない倫理を求め、法律ではカバーできないところを自主的なルール、仕組みにしなければならない。全ての倫理観を世界で一本化することはできないとしても、「ゲノム編集と人工知能の安全利用」にフォーカスすれば、倫理の不一致を乗り越えられる確率は高まる。

現在多用される問題考察のモデルは、1975年に遺伝子組換えについて議論されたアシロマ会議において示されたと言われている。その方式は、社会的な害悪をもたらす恐れのある生命科学研究については、研究を行っている研究者自身が自主規制することを目指すものである。科学者は、予想される研究上のリスクを科学的に把握し、その危険性に問題なく対処できるまでは研究の遂行に一定の制限、モラトリアムを課そうというものである。

この方式の課題は、法的規制を回避する手段にもなり得ることや、検討すべき課題が科学者の技術的能力をはるかに超えてしまう場合があることだ。リスクは専門家のみが判断し、専門家以外の人々が抱く疑念は専門的な知識の欠如にあると片づけられてしまうと、倫理的分析は不完全燃焼となりやすい。だからこそ、専門家だけではなく多様な視点からの議論や考察を速やかに実行できる、あらたな仕組みが必要となる。

ゲノム編集ＤＩＹのような潮流があることも踏まえると、実験室内の自主規制だけでは不十分である。規制外で開発され、いつの間にか不都合を生んでしまうリスクまで抑え込まなければならない。

個人、組織、国、どの次元においても、安全に自主管理や規制を行い、さらに他国との協調を実現するために、ゲノム編集と人工知能の専門家、倫理の専門家だけではなく、幅広い分野の知見を集結させ、学際的協働で「倫理指針（ガイドライン）」を設けることが必要である。この観点において、2019年に公開されたEUの「信頼できるAIのための倫理ガイドライン」が参考になる。「人間の代理と監督」「堅牢性と安全性」「プライバシーとデータのガバナンス」「透明性」「多様性・非差別・公平性」「社会的・環境的福祉」「アカウンタビリティー」の7つの原則を中心に倫理ガイドラインが構成され、EU内ではこれをもとに内部体制の整備、ガバナンスを強化する企業や大学も目立つようになっている。このような倫理の具体的ルール化と実践が世界的に広がることが望まれる。

そこで重要なのは、専門家だけで完結しないように、市民も議論に参加できる場を設け、的確に指針へと反映させることだ。さらに、各国単位の倫理ガイドラインを世界で共有、議論し、安全志向から逸脱する国が現れないようにリードする国際的機関、仕組みが不可欠となる。技術的変化にキャッチアップするために、頻繁な見直しも欠かせない。

倫理の役割を果たすために作る倫理ガイドラインは、学校教育、企業内研修、地域のシンポジウム、メディアなどを通じて、丹念に社会に浸透させる。技術的、専門的なテーマほど難しいと敬遠され、縁遠いものとなりがちであるため、倫理ガイドラインの展開においては、ゲノム編集と人工知能の実情を分かりやすく伝え、実効性を伴うように具体的行動に落とし込む必要がある。

科学的不確実性を伴うリスクを抱える先端科学技術に対して、社会科学の観点で倫理が果たすべき役割は大きいことを再認識しておきたい。

自主的な管理・規制を促すためのアプローチ

科学的不確実性に翻弄されず、最悪のシナリオを回避するためには、法律と倫理の特性に基づき、それらを効果的に連動させる必要がある。

それに対し、論文「先端科学技術の不確実性政策における『法』と『倫理』の隣接点」(『場の科学』通巻第5号 Vol.2 No.2 著：中山敬太）では、法と倫理の隣接点を「自主管理」「自主規制」であると示す。その実践のために、〝法律、税金、そして補助金に次ぐ第4の政策手段としてアメリカやイギリスをはじめとする諸外国や各地方自治体等で注目されている「ナッジ」理論と「ナラティブ・アプローチ」を掛け合わせた手段〟を提唱している。

「ナッジ（nudge)」は、行動経済学者のリチャード・セイラーと法学者のキャス・サンスティーンが提唱した概念で、もともと「肘などで小突く」「そっと押して動かす」という意味である。2017年、セイラーがノーベル経済学賞を受賞したことを契機に注目を集めた。

行動経済学、政治理論、そして行動科学の知見から、望ましい行動をとれるように人を後押しするアプローチのことで、多額のインセンティブや罰則という手段を用いるのではなく、人が意思決定する際の環境をデザインすることで自発的な行動変容を促す。

アムステルダム・スキポール空港では、公共トイレの清潔さを保つ目的で、ハエの絵を小便器の底に付け、これによって利用者の飛沫を80％減らした。制約措置だけでは解決困難な課題をナッジで解決した成功事例として有名である。また、シンガポールの市内中心部や有料道路では、曜日や時間帯によって刻々と変わる混雑度に応じた通行料金制度が導入されており、有料区間入口のゲートに設置された電光掲示板にリアルタイムの通行料を表示することで、ドライバーが混雑エリアの通行を控えるようになっている。これはナッジによる交通渋滞対策だ。

日本の自治体でも、ナッジの活用が進む。特定保健指導の利用率が低いことが課題であった横浜市健康福祉局保険年金課は、案内封筒の文字数を減らし、レイアウトを工夫しシンプル化して、指導を利用しないことの具体的損失、全国での利用者数を示すことで、案内封筒の開封率を向上させた。
ナッジは、一人一人が自分自身で判断してどうするかを選択する自由を残しながら、人々を特定の方向に導く介入と定義される。金銭的インセンティブを使わないため費用対効果も高いことから、人々が自分自身にとってより良い選択を自発的にとれるように手助けする政策手法として、多くの組織があらゆる政策領域で活用するようになってきた。

こうしたナッジ理論は、科学技術の利用のあり方の訴求や、悪用の防止にも応用できる。たとえば、先に提示した「倫理ガイドライン」への活用だ。この展開においては、ゲノム編集と人工知能についてわかりやすく伝え、自分ごととして受け止めてもらう必要がある。しかし、専門的で複雑な内容であるがゆえに、潜在的なリスクがどこにあるかも理解しにくい。ＡＩが超知能レベルに到達したり、ゲノムベビーを許容したときに人間はどのような影響を受けるのか（それを踏まえて何をすれば良いのかを具体的に明示）、ＡＩに〝毒〟が盛られた場合に仕事や生活に与えられる損害の大きさ（失う痛みを具体的に明示）などを、簡潔な言葉や数字、イラストで構成し、ガイドラインへ反映する。

また、企業が過剰な利益追求のために科学技術を利用しないように、たとえばＡＩやゲノム編集技術をどのように活用しているかを企業が積極的に公開し、それがどのような社会貢献に繋がっているかを提示した場合に、国や第三者機関が評価して一定基準に達したものには認証マーク・ラベルを発行し、商品やサービスに付けられるようにする案もある。公共利益への貢献メリットを明確にし、さらに消費者がそのような商品やサービスを選択するメリットを啓蒙するところまでナッジ理論で後押しすることができる。

法律による規制だけに頼るのではなく、一人一人の倫理観に基づく自発的な行動を促すことで、社会全体として健全な技術利用を維持するための方策となるだろう。

「ナラティブ（narrative）」は、語り、物語などの意味を持ち、もともとは文学や倫理の用語として用いられてきたが、医療、教育、経済といった幅広い領域で使用されるようになった。

ナラティブという形式によって問題解決を試みる「ナラティブ・アプローチ」は、物語の視点で捉えて解決を目指す方法論だ。たとえば、カウンセリングの際に、患者自身が自分の物語（ナラティブ）を語ることで抱えている問題を解決するアプローチを行う。

臨床心理学の領域で誕生したナラティブ・アプローチは、対等な立場で対話をしながら、相手を尊重して進めていくことを特徴とし、解決策を能動的に導き、実行に移しやすくする。自らを客観視し、視野を広げることで、解決策の幅が広がるメリットもある。

複雑な社会課題を抱える現代においては、困難な合意形成を目指す場面が多い。とりわけ先端科学技術の分野では、専門家と一般の人との間でリスク認識の乖離が大きくなりやすいが、知識の啓発によって専門家の水準に近づけるアプローチには限界があるため、ナラティブ型のコミュニケーションによるリスク回避策合意形成が必要となる。

宮城大学地域資源マネジメント研究室による「地域共生プランニング」は、地域づくりへの市民・住民参加を重要視した社会的合意形成の推進手法であり、その中でナラティブ・アプローチが用いられている。たとえば、「テキストマイニングのような質的分析手法により住民の意見を抽出し、その結果を用いて合意形成が図られるケース」や「抽出された参加者の語りをもとに、その地域で一般に語られる地域の魅力や課題を再検討していくアプローチ」など、まちづくりに活かした取り組みを行っている。

ナラティブ・アプローチは、不確実性を伴う先端科学技術のリスクに対する政策合意形成プロセスにおける国家間や組織間の意見の相互交換プロセスにも、一定の効果を発揮することが期待できる。「地域共生プランニング」のように、ヒアリング、ワークショップなどを通じた意見収集と、多様な分析手法を駆使することで、多くの意見を集約しなければならない場合においても、ナラティブ・アプローチを有効化できる。

法律の強制力は一定の役割を果たすものの、倫理や自主的な管理・規制を併用しないアプローチは考えにくい。強制的な法律であっても、破る者も現れる。だからこそ、主体者としての人間一人一人、人間が形成する組織や国の倫理、自主的な規制が、根本的な解決のためには不可欠となる。

先端科学技術以上に人間の不確実性の方が課題とも言え、その課題解決においては、相互理解、より良い意思決定をするための対話の方法論、場の設定という、人間的な取り組みを諦めることなく徹底するしかない。特に、置かれた環境や価値観に大きな差異がある者同士、利己が優先される場面でこそ、歩み寄りにより好ましい選択をできるか否かが未来を左右する。

②ゲノム編集技術を正しく扱うために

世界規模のガバナンスの実現

ゲノム編集技術を適切に利用するためには、科学者たちによる国際的な議論や自主的な管理だけではなく、政府による規制も重要である。その際、国によって規制にばらつきがあると抜け道ができてしまうため、各国で足並みを揃える必要がある。

だが現状では、国によって規制の対応は異なっている。主要国の対応を見ていこう。

イギリスでは、HFE法（Human Fertilisation and Embryology Act）によりヒト胚の研究や生殖医療の規制を行い、ゲノム編集によるヒト胚を用いた個体の発生を禁止している。基礎研究に関しては、生殖医療と生殖医学研究管理運営機関であるHFEA（Human Fertilisation and Embryology Authority）の厳しい審査を経て許可を受ける必要がある。

ドイツでは胚保護法、フランスでは生命倫理法により、ヒト胚や生殖技術の濫用が禁止されている。

中国では、２００３年以来、生殖医療者向け衛生部指針で遺伝子改変した配偶子や胚の生殖利用が禁止されているが、違反した場合の罰則はなく、基礎研究は可能である。その環境下において、２０１８年の「第2回ヒトゲノム編集国際サミット」で世界初のゲノム編集技術を施した双子が生まれたことが発表された。誕生させた中国人研究者の賀建奎《フー・ジェン・クイ》は、ヒト胚ゲノム編集を規制する法律ではなく違法医療行為の罪で２０１９年12月に罰せられた。

この裁判後、２０２０年5月に民法典が制定され、１００９条で「人間の遺伝子、胚などに関連する医学的および科学的研究活動に従事する上では、国内規制を順守し、人の健康を危険にさらさず、倫理および道徳に違反し、公益に害を及ぼしてはならない」と規定している。これは医療者向け指針ではなく民法の条項であり、医療者だけではなく研究者や市民にも、遺伝子改変を伴う生殖の禁止を承知することを求めている。

中国と共にゲノム編集研究が盛んな米国では、２０１５年に予算条項の制限で遺伝子改変を伴う生殖研究を禁止しているが、現状ではヒト胚を対象とする連邦レベルの法律はない。ヒト胚を作ること、ヒト胚が滅失したり傷つけられることを含む研究に対して、連邦政府の資金投入は禁止されているが、研究が許可されている州の政府資金などでは可能となっている。ＦＤＡ（米国食品医薬品局）が遺伝性の遺伝子組み換えを含むヒトの胚の意図的な作成や改変をする臨床試験の審査をすることを議会が禁止しており、臨床応用についても、ゲノム編集のような新しい技術を臨床研究を経ずに医療提供することはＦＤＣ法(Federal Food,Drug,and Cosmetic Act）によって禁止されている。

日本では、「ヒトに関するクローン技術等の規制に関する法律」が施行されてきたが、厚生労働省の「遺伝子治療等臨床研究に関する指針（第一章第七）」で生殖細胞系列の遺伝子改変の生殖利用を禁止しているものの、法規制はない。

その中で、「ヒト受精胚に遺伝情報改変技術等を用いる研究に関する倫理指針」を２０１９年４月に施行し、臨床応用は不適当としつつ、基礎研究については「生殖補助医療の向上に資する基礎的研究」に限定することを研究要件としている。

生殖医療の臨床応用の禁止、生殖医療応用を目指していることが明らかな基礎研究を控えるべきだというのが、これまでの日本の方向性である。人の生殖にゲノム編集を利用することは、人間の尊厳、優生思想など、世代を跨いで不可逆的な影響を与えるため、生殖利用、臨床応用を目指す基礎研究と共に禁止する立法を急ぐべきだという声も多い。

立法のプロセスにおいては、それが一般に公開されることで議論の環境を整え、市民が参加しやすくする必要がある。専門家だけではなく、市民がヒト胚のゲノム編集や生殖医療に関する議論や検討に参加することで、それらの技術が持つ不確実性に伴うリスクを社会全体で考えることが望まれる。

ここまで見てきたように、国によって法律、規制の状況はまちまちである。そして、内容の見直しが重ねられている。いまのところ、法律の形式でヒトの遺伝的形質の操作を規制していない国は、技術面で実行可能性を有する国の中では相対的に少数ではあるとはいえ、世界の足並みは簡単には揃わない。

各国の法律によって遺伝子改変を伴う生殖を規制すべきだとしても、その法律の効力は国内に限定され、国境を越える生殖ツーリズムを利用する抜け道は残る。生殖医療の規制が弱い国にあるクリニックに目を付ければ、自国ではできないことが提供され、ゲノム編集など遺伝子改変を伴う医療を受けることができるかもしれない。

その解決策として、世界で統一された規制を制定しようとしても、生殖に対する価値観や倫理は国ごとに異なり、国際ルール制定は現実のものとなりにくい。仮に、法規制が実行されたとしても、意図的に守らない人が存在し得る以上、100%万全な策も幻想となる。それでも、国際的ルールの制定を目指さない限り、人類最悪のシナリオを回避する力は一本化しない。

そのためにも、国際的な組織によるアプローチが重要となる。

これまでに、ユネスコは、1993年に国際生命倫理委員会（International Bioethics Committee, IBC）を設立し、生命科学やバイオテクノロジーに関する倫理的な問題の研究を行い、指針を示している。1997年には、ヒトゲノムの研究や利用に関する倫理的原則と人権の尊重を確立することを目的に「ヒトゲノムと人権に関する世界宣言」(Universal Declaration on the Human Genome and Human Rights）を採択し、人種差別や遺伝子差別を防ぐための原則などを宣言している。

国連では、世界保健機関（World Health Organization, WHO）がゲノム編集技術に関する国際的な専門家委員会（Expert Advisory Committee on Developing Global Standards for Governance and Oversight of Human Genome Editing）を設置することを2018年に決定し、人間のゲノム編集に関する世界的なガバナンスの方針の検討を進めている。

その結実として、WHOや学術的国際会議などの既存の国際機関に加え、専門性の高いゲノム編集技術に特化した国際的な調整や監督を担う機関を新設することも一案だ。各国の研究開発の状況を共有するプラットフォームとなり、安全性や透明性の国際的定義、基準を制定し、潜在的な危機の分析をもとにした予防原則による規制の設定を含めた国際的な危機管理まで行う。

これからますます、こうした国際機関が人類にとって適切な技術利用のあり方を示し、国際的なゲノム社会秩序構築をリードしていくことが求められる。

ゲノム編集技術に対する規制を世界規模のものとして実行することは、容易なことではない。この課題解決においては、人類全体の賢慮が試されているとも言える。ゲノム編集技術を使う生殖や臨床応用を目指す基礎研究の法的禁止をいかに実施するべきか、ヒト胚ゲノム編集の臨床応用を将来にわたって禁止しておくべきなのか、技術面や安全面の課題が解決されることを条件に許容すべきケースがあるのかどうかなど、議論すべき課題は多い。各国があらゆる課題をあぶり出し、一般市民を巻き込んで社会全体で議論を重ね、それを国内にとどめずに国際的協調にまでつなげていく必要がある。

市民、研究者、行政、企業が十分に議論をし、ゲノム編集技術の妥当な利用のあり方についてコンセンサスを形成する。さらに、一般市民と共に行う適切で透明性のある合意形成プロセスの設計や、法律、規制、倫理、監視などの多岐にわたる仕組みを各国で共有・強化し、世界規模のガバナンスを実現しなければならない。こうした課題を解決できなければ、人類全体が思わぬ滑り坂を滑り落ちることになる。

「人は自然物である」という原則から逸脱しない

世界規模のガバナンスを実現するためには、ゲノム編集が及ぼし得る悪影響について、各国民に周知させる必要がある。特に民主主義国家においては、規制は個々人の理解を得ることによって、初めて成り立つことも多いためだ。

遺伝子操作の過剰な欲望に掻き立てられず、きちんとブレーキをかけるためにも、市民の一人一人が「人間の尊厳」や「もたらされるリスク」について知っておくべきである。

およそ80億人もの人間が存在しても、全員が唯一無二のゲノム配列を持っていることがヒトの多様性であり、親を同じくする兄弟姉妹や一卵性双生児ですら、全く同じ遺伝子セットは伝わらないとされている。全く同じゲノム配列を持つ人間がいないという多様性の意味や価値の奥行きは深いが、少なくとも、誰にも支配されず自由に生きる基本的人権や尊厳の根源は、生まれ持った唯一無二のゲノム配列にある。また、欧州でペストが流行した際に、生き残った人々の一部は流行以前にペスト耐性変異を持っていたと考えられており、人類が存在し続けられた一因をヒトの多様性に求めることもできる。

治療を超えて、生物医学的技術を健常人に対して用いることで能力を向上させようとするエンハンスメントを際限なく追求していくことは、この遺伝的多様性の消失をもたらし、個体と社会と生命の連関を切断することになり、人類滅亡の一因になりかねない。さらに、ゲノム編集に影響を与える優生学においては、その実践によって遺伝的多様性の幅を切り詰めることにつながるという問題がある。

宇宙創造以来、手を加えない限り、あらゆるものや秩序は時間の経過とともに自然に散らかっていくエントロピー増大、無秩序化の法則の中にある。その法則に抗して自己組織化、秩序化してきた結果としての自然物の生成は、偶然の奇跡の産物だと言える。設計図は存在せず、自然物は本来、人工物で作り換えることはできない。とりわけ人間は、一人一人の多様性があり、他者との違いの中で成長を重ねていく。

人間は自然物であるという大原則を軽んじてはならない。人間が自らの胚を技術によって操作する、自然物としての人間を人工物化しようという行為は、自らを取り返しのつかない状況へと追い込むことになるかもしれない。先端科学技術が踏み込むべきテーマか否か、その境界線を見誤ると最悪の未来を招くことになる。人間の人工物化はその一つとなるかもしれないということを人類の共通認識とし、その事実認識から逸脱しない構造づくりをしなければならない。そのためには、国際機関と各国が一体となり、共通認識を普及させるための教育システムや、原則を守るためのルールづくりの連携を強化する必要がある。

たとえば、子ども向け教材作り、初等教育から大学までの教育プログラム、市民向けワークショップ、イベントや展示会、エンターテインメントを通じた関心を集めやすいコンテンツ制作などを、国際協働で行う。情報や知識の不足、科学技術との距離感の遠さが自分ごと化を阻む要因となるため、こうした草の根的な取り組みが、結果的に原則を守るためのルールづくりの強化につながっていく。

③人工知能を正しく扱うために

制御戦略としての包括的AIサービス（CAIS）型アプローチ

汎用人工知能以降の人間外高度知能を制御するということは、つまり人間よりも知能の高いシステムを制御しなければならないということだが、それは現実として困難である。システムの設計者としての人間が可能なのは、人工知能が高度化しても、人間の希望通りの範囲を超えないシステムにすることだ。

その範囲を超えてしまった場合に、システムを制御もしくは破壊する防衛機能を設計する案も考えられるが、超えようとする超知能相手にこの防衛機能が想定通りに稼働するかは未知数である。

結局、人工知能が自己改善や学習を続ける過程で、人間の制御を離れて突然敵対的な行動をとる「裏切りターン」のリスクは払拭できない。当初は人工知能が人間に従順で協力的に映るが、一定以上の能力を獲得した後に意図に反した行動をする懸念がある。したがって、制御可能な知能システムと制御不可能な知能システムの境界線を明確化し、後者を生み出さないことが人類滅亡を避けるキーポイントとなる。

そこで、無限の時間枠内で無制限の目標を達成する、単一の万能型人工知能を構築しようとするのではなく、包括的AIサービス（CAIS：Comprehensive AI Services）のような限定されたリソースを用いて、限定された時間内にあるタスクで限定された結果を提供する、狭い範囲の人工知能の集合体の構築を目指す方法が考えられる。特定の領域では超人的な性能を発揮しながらも、安全性の担保と人間の不都合を発生させないためのアプローチだ。

このアプローチは「どのようにAIシステムやサービスが作られているか」「何を目的に、何を行い、何が可能となるのか」「人間の懸念材料を含まないか」が明確になっており、利用者もそれを理解しながら扱えることを基本コンセプトとする。

設計上は、人間による能動的な改善と、AIによる再帰的な技術改善、自己改善を区別し、無制限の自己変革による潜在的な危険を回避できるようにする。AIによる自動化は段階的に進め、どのように再帰的な改善を生み出すかの検証をしつつ、人間の承認と不承認を的確に反映できる構造になっているのか確認を行う。

さらに加えると、AIに倫理モジュールをあらかじめ組み込んでおく。統一的な倫理がないからこそ、先述した国際協調により定めた倫理ガイドラインが必要となるが、そこから外れた動作をした場合は自動停止するようにしておき、制御の範囲を超えないようにする。AIを駆使した犯罪や戦争には、AIで対抗するようになることが想定されるが、制御不可能な超知能同士の争いの結果、世界は壊滅的になる恐れがある。それを防ぐ意味でも、倫理モジュールは重要な歯止め機能となる。

運用段階においても、システム監視の一環で、「人間のリクエストやフィードバックを正しく解釈しているか」を適宜チェックしながら、誤ったフィードバックループを回避する。たとえば、複雑な社会課題解決や難解な業務遂行のために、突出した能力が必要となる部分を見極め、そこを担う超知能、標準的人工知能、人間の知能のハイブリッドで扱える柔軟な汎用型AIモデルを目指し、あくまでも手段としてのサービスに徹することだ。既存のAIの課題を解決するために進化させる能力を選択し、依存しすぎず、安全志向の技術・サービス開発を実行することが、このタイプのアプローチのポイントとなる。

人間が制御しきれない、人間よりも高度な人工超知能を作ることが人類滅亡の一因となるとすれば、このように限定的に超知能を活かすアプローチの実現を目指したい。先端科学技術が先へと急ぐアクセルから足を離すことを、「諦め」や「研究から先進性をはぎ取るもの」だと解釈せず、安全な人工知能を追求することこそが、人類への貢献であると認識するべきだ。加速を緩めてでも、限りなく安全かつ有用な人工知能を目指す試みの先にこそ、最悪な未来を回避する策が用意されているはずだ。ただし、そうした試みの機会が残されているのは、人間の知能を超える人工知能が誕生する直前までだ。

「リスクベースの規制」の世界展開

ＡＩのリスクへの警戒が高まる欧州では、ＡＩの開発に関する法整備を進める動きが強まっている。

ＡＩを包括的に規制する世界で初めてのルールを作ることを目指し、２０２１年４月に欧州委員会が提案、２０２３年６月に生成系ＡＩを踏まえた修正案を採択したＥＵの「ＡＩ法（AI Act）」は、「最小限のリスク」「限定的なリスク」「高リスク」「許容できないリスク」のようなＡＩシステムのリスク分類を行い、リスクに応じた規制と罰則を課す。

たとえば、「許容できないリスク」とは、ターゲットとする者などの行動を実質的に歪めるために、その人の意識を超えたサブリミナル（潜在意識に働きかける）技法を展開したり、公的機関が人間の信頼性評価や分類のためにソーシャルスコアリングを行い、害や不利な取り扱いなどを発生させたりするようなシステムで、禁止の対象となる。EUの規制ではあるが、EUの市場にAIシステムを置いたり、EU所在の人をターゲットにサービスを提供した者に適用されるため、EU外にいても規制と無関係ではない。

いまのところ、日本ではAI法案のように法的拘束力のある規制ではなく、ガイドラインなどによる自律的なルールでのガバナンスを目指しているが、法律と倫理の併用の中で、その効果を上げる法律の整備も必要となる。

その際のポイントとしては、「AIのリスク」と一括りにせず、EUのAI法案のようにリスクを明示、分類することで、「どのようなAIシステムや機能にどのようなリスクがあるのか」「それぞれがどの程度のリスクの大きさなのか」「許容できないリスクはどのようなものか」を明らかにすることである。リスクベースの規制であれば、高度化しても問題のない部分にまでブレーキを踏まずに済み、バランスの良いAI開発を導くことにつながる。

EUだけではなく、このような「リスクベースの規制」を各国が設計、施行し、世界中で網羅されることで、より有効なリスクの顕在化と防衛策が実現されるだろう。

ホモ・サピエンスにとってのチャンスを生かしきる

今後、ＡＩが知能の領域において人間を圧倒することが予想される。そうなれば人間に諦めが広がり、学習や労働意欲などのモチベーション低下が懸念されるのは、第1章で述べたとおりである。

そうした中で再確認すべきは、人間が知性、身体性、命を持つということの意味である。そして、人間に与えられている苦痛という感覚や死の恐怖、それを乗り越えようとする意思、さらに「人間同士が共感できること」は、特有の能力であることに積極的な価値を見出すべきだ。実際、この共感できる力で、人間は厳しい環境や不安定な社会を生き抜いてきた。

人工知能に人間と同様の感覚や共感能力をインプットすることを目指し、外形的に何らかの近似するアルゴリズムを作ることができたとしても、それが〝人間同様〟と言って良いかは微妙である。人間は感覚意識やそれに伴う経験として「クオリア（qualia）」を持っているとされる。人間が意識的かつ主観的に感じたり経験したりする質としてのクオリアは、脳科学では、何かしらの脳の活動によって生み出されていると考えられているが、クオリアを生み出す際にどのようなメカニズムが働いているのかをはじめ、明らかになっていないことが多い。

仮に人工知能に意識が芽生えたとしても、人間は人工知能にはなれないので、人工知能になったときの感じはわからない。逆もまた然りで、人工知能も人間にはなれないので、人間になったときの感じはわからない。今後、〝人工知能の人間化〟が飛躍的なペースで進むことが予測されるが、クオリアのように繊細な感覚意識を持たせようという点においては、困難を極めることになるだろう。

ＡＩが学習する材料は主に公開されたＷｅｂデータや与えられた情報であり、ＡＩがそこから導いた知識と実世界を結びつけることは容易ではない。

ＡＩにはシンボル（記号）が実世界とどのように結びついているかを認識できない問題を、「シンボルグラウンディング問題」という。この記号は、自然言語や画像、感情や動機、物質など、包括的な意味を持つ。ＡＩには記号が意味することがわかっていないため、それが意味するものと結びつけることが困難であるとされている。

一方、人間は自らの身体性によって外界の情報や刺激を取り込み、身体があるからこそ認知や思考を深めることができると考えられている。実際、人間の感覚・知覚・認知は、人工超知能を相手にしても、特筆すべき能力である。五感、皮膚感覚のような体性感覚、内臓由来の内臓感覚などの「感覚」。外界からの様々な物理・化学情報や刺激を感覚として自覚し、刺激を意味付けする「知覚」。知覚した情報をもとにして解釈し、行動に変換するために情報の価値判断を行う「認知」。

これらの人間特有の機能をもとにした能力を活かすことこそが、人間がＡＩに屈せず、存在意義を保つための手段となる。重要なのは、人間の身体性、つまり感覚・知覚・認知をフル活用した実世界での体験の質と量を向上させ、身体性経由の情報を内在（内面）化することだ。

情報化社会において逆説的ではあるが、あえて（Ｗｅｂ上で）情報化や情報収集をしないという選択肢も持ち、日常生活や仕事においても、実世界での体験を内在化することを重視する。ＡＩは、Ｗｅｂをはじめとした公開データや意図的に与えられた情報を主として処理する。それらは顕在化された情報であり、「顕在情報」を網羅することで能力を高めていく。一方、実世界での体験の内在化による、自分の体内にある非公開情報は「非顕在

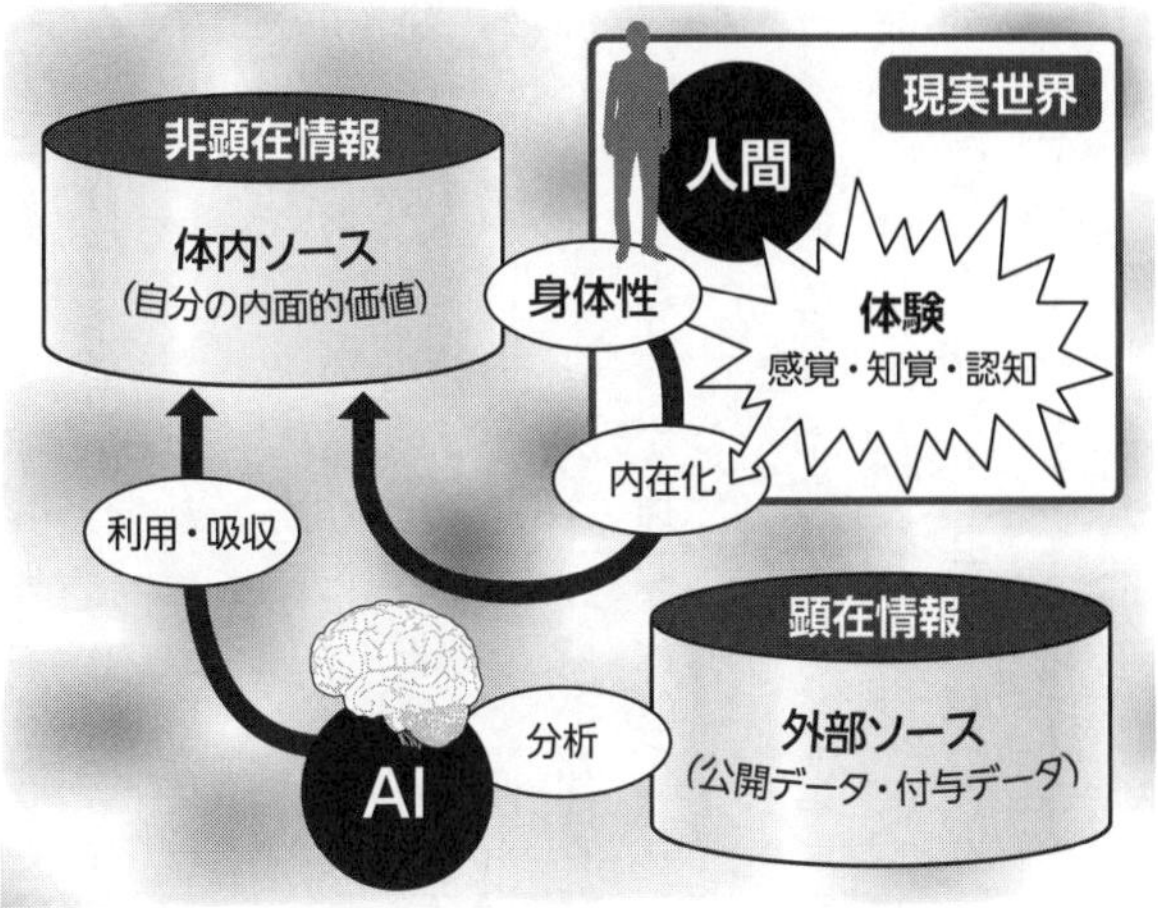

情報」として自分だけのものとなり、ＡＩも吸収することはできない。

身体性を駆使し、曖昧なことの多い現実世界を感受する天賦の機能により、人間元来の能力を拡張することが重要だ。「顕在情報」はＡＩに授けたとしても、「非顕在情報」を人間一人一人の「体内ソース」として吸収し、それらを使い分けながら、処理力だけではない知能競争、総合的な人間力の強化を図っていく（図）。

これらを踏まえると、人工知能に凌駕されない人間の資質は、多種類の感覚機能、感覚意識、経験から生まれる直観などに求められ、その追求により人間ならではの能力を磨き、一方で制御可能な人工知能開発に努めることが、最悪な未来を回避する確率を高める。また、人間には本能が備わっており、本能と知能の関係性によって人間の知能を特異的なものにしているのだとすれば、本能を持つことを強みとした人間の可能性を探求することも重要である。

答えのある問いに対して正しいとされる答えを、短時間で導き出す能力。こうした類の知能にとどまらず、ほとんど共通点のない手がかりをつなぎ合わせ、見たことのない問題、答えのない問いの答えを探すことで、不安定で答えなき世界の答えを見出す能力を磨く。経験から知恵が身につき、知恵が知性を育てる。

高度な人工知能が論理的に可能となり、それが実現、社会実装されたときのリスクをイメージすることによって、人間にしかない機能や性質を活かして経験を知性化する行為に真摯に価値を置けるようになる。あやふやな世界の経験を知恵、知性にすることの意義を認識し、身体性を武器にして鍛錬する。並行して、人工知能を適切に育てて制御することが、ホモ・サピエンスを未来へとつなぐ。いま、人工知能は、人間にそのチャンスを与えようとしている。

結局、生まないこと

一度生まれた巨大な破壊力を持つものを100％制御することは、最終的に不可能な場合が多い。原理的に制御できないとすれば、先端科学技術を悪用する存在（それが当人にとっての正義となる）や暴走の危険性が世界中から消え去らない限り、制御しようとする力学と破壊に向かう力学のせめぎ合いとなる。そして破壊に向かう力学が押し戻せないほど増幅したときに、人類は最悪の場合、滅亡の道を歩むことになる。

暗転したときの破壊力が想像を超えるものに手を出すということは、そのような可能性を発生させるということであり、一度手を出してしまったならば、悪用させない仕組みや万が一の際には完璧に制御できる仕組みを徹底的に追求するしかない。しかしそれは、生み出す以上に難度の高いことが多く、論理的に不可能だったという救いようのない結果に終わることもある。

システム的に安全確保が困難であれば、人間の悪意や争いをなくすことを目指して、貧富の差や階層的な格差、不満を解消するための方策、社会基盤を、世界中の人々が協力し合って作っていくしかない。しかし、人間の性質や歴史を踏まえると、これは非常に難しい試みとなる。

それを実現できないとすれば、結局は遺伝子改変によるポストヒューマンや、人間の能力をはるかに超える人工知能を徹底して生み出さないことだ。ポストヒューマンや超知能を生み出した段階で、人類にはそれらをコントロールできない世界に突入すること、それが人類滅亡への導線となり得ることを覚悟しなければならない。

おわりに

「人工知能は本当に人間の知能を超えるのか？」

「シンギュラリティはあり得るのか？」

世界で議論され続けている未来の重要テーマであり、この質問を何度となく受けてきた。議論をしている間もＡＩの発展は著しく、生成系ＡＩの登場をきっかけに実感した人も多い。

科学技術は、段階的にわかりやすく成長することばかりではなく、突然爆発的な進化を見せることがある。研究領域では指数関数的に成長をしていて、世の中で広く認識されたときには驚くべき事態となっている現象だ。それに伴う課題が見え隠れしていても、差し迫ったときに対応すればなんとかなるという悠長な発想は、その現象を前にあっさりと崩されることになる。

汎用人工知能、人工超知能の実現については、研究者の中でも多様な見解があり、実現不可能だという主張もある。だが、いずれにせよ人類にとって、史上最強の「知能のライバル」が現れたことは間違いない。単純作業から知的作業へと昇華し、できないというレッテルを貼られがちな「創造力を必要とする作業」もレベルアップを重ね、人間を上回る場面も増えていくだろう。

人間の知能を超える状況は、一般的に、ＡＩが自律的に改善し、能動的に創造活動をできるに至った段階で発生し、ブラックボックスの中で育まれる。ひとたび、汎用人工知能、人工超知能を開発してしまえば、生活、仕事、政治や経済、軍事と、狭い世界から広い世界へと用途は広がる。威力のある科学技術ほど活用の広がりはおさえきれず、悪意の目も向きやすい。

技術的特異点の議論は基本的にＡＩが対象となるが、ゲノムテクノロジーに当てはめるとすれば、エンハンスメントで人間を拡張、生命を操作し、ホモ・サピエンスを大幅に書き換えてしまった時点となるだろう。その起点となるのが、人間の意のままに遺伝子を書き換えたデザイナーベビーだと言える。

ＡＩとゲノムテクノロジーは進化の時期とペースを重ね合い、意図せず並走しているうちに、必然的に結びつきを生む。ＡＩがゲノム解析の精度や速度を上げ、ＡＩに対抗するための人間の能力拡張のニーズにゲノム編集を用いる着想もわく。

社会では「あるべきルール」が至るところで掲げられながら、守られずにルールが破られることは日常茶飯事だ。「なぜそうなってしまうのか？」という疑問にこそ、本質的な課題が内在する。

それは「人間の本性」だ。科学技術の影のメカニズムを司るのは人間であり、人間の本性によって影は作られる。ＡＩが搭載されたＬＡＷＳ（自律型致死性兵器システム）は「殺人ロボット」と呼ばれるほど、あまりにも危険な自律型の無人兵器として、研究開発や使用の禁止が叫ばれている。しかし、その実現はまだ道半ばであり、人間の本性との綱引きが続く。これを止めなければ、人間対人間はＡＩ対ＡＩとなり、自律型のＡＩ兵器が容赦なく人間を惨劇へと巻き込む。

本書で指摘したリスクは、決して不可抗力ではない。リスクを人類滅亡にまで滑らせてしまうか否かは、人間の意思決定による。

自らの退化についても言うまでもない。自己成長の努力は義務づけられてはいないし、自主的なものである以上、AI相手の優劣も人間次第ということになる。

将来、あらゆる分野において、人間が超知能化したAIに勝つことは至難の業となるだろう。だが、それでも人工超知能を自らのレベルアップの糧としている人間が存在していることに、一縷の望みを持ちたい。

人間の最も高い知能までもがAIに凌駕されてしまうと、いよいよ制御できる人間が不在になり、AIによる知能の侵食は裏切りターンの温床となる。だからこそ、自らの意思決定に責任を持ち、自己成長の努力を諦めるわけにはいかない。


人類の活動による環境や生態系の破壊が、しっぺ返しとなることをわれわれは既に理解している。しかし、人間の本性は簡単には変わらず、毎日のようにそれが生み出す弊害、トラブルが発生している。その世界で2つの強烈な科学技術が成長しながら、人間の顔色、本性をうかがっている。

だからこそ、人間という存在の根源を見つめ直し、先端科学技術の扱い方をあらためて俯瞰的に考察するために、あえて「人類滅亡」という最悪のシナリオを提示した。

本書は最悪のシナリオではあるが、SFではない。最悪なシナリオをもとにした回避のアプローチにより、最悪の事態を避け「あり得ないこと」にするための戒めとしたい。

人類が、自ら未来を壊さないために。

小川和也

主要参考文献（順不同）

尾本恵市　『ヒトはいかにして生まれたか　遺伝と進化の人類学』講談社学術文庫 ２０１５年

David Bressan　「地球を襲った5回の『大量絶滅』と人類の未来への警告」Forbes Japan ２０１９年5月26日
https://forbesjapan.com/articles/detail/27329

「First drug discovered and designed with generative AI enters Phase II trials, with first patients dosed」２０２３年6月27日
https://www.eurekalert.org/news-releases/993844

若杉敬明　「共済とホモ・サピエンスの心」共済と保険 ２０１７年７月
https://www.jcia.or.jp/publication/pdf/20170701_kantougen.pdf

足立智孝　「エンハンスメント問題の人間学的一考察」モラロジー研究 №69 ２０１２年
https://www.moralogy.jp/wp-content/uploads/2020/06/69adachi.pdf

「Gartner Says 80 Percent of Today's Project Management Tasks Will Be Eliminated by 2030 as Artifical Intelligence Takes Over」
https://www.gartner.com/en/newsroom/press-releases/2019-03-20-gartner-says-80-percent-of-today-s-project-management

小川和也　「２０５０年 未来への視点」一般社団法人 日本広告業協会（ＪＡＡＡ）レポート №７８５ ２０２０年７月１日

「『知性持つＡＩは下僕にあらず』マスク氏傾倒、ＡＩ脅威論唱える哲学者」日経ビジネス
https://business.nikkei.com/atcl/gen/19/00537/032200013/?n_cid=nbpnb_pvyr_230404_0000BJI9&extpf=yn
「Nanosecond protonic programmable resistors for analog deep learning」
http://yildizgroup.mit.edu/wp-content/uploads/2022/07/murat_science_2022.pdf
産業技術総合研究所　人工知能研究センター　脳型人工知能研究チーム　一杉裕志　「脳は単純か複雑か？　脳のような人工知能は作れるのか？」ミーティング資料　２０１５年11月12日
https://staff.aist.go.jp/y-ichisugi/besom/20151112simplecomplex.pdf
「ＮｅｕｒＩＰＳ―２０１９」
https://nips.cc/Conferences/2019
『ＢＥＡＴＬＥＳＳ』Ｗｅｂサイト
http://beatless-anime.jp/keywords/index.php
Roman V. Yampolskiy 「On the Controllability of Artificial Intelligence: An Analysis of Limitations」
https://journals.riverpublishers.com/index.php/JCSANDM/article/view/16219/13165
岡本栄司　「進化し続ける科学と人間の未来について」電子情報通信学会誌　Vol.100 No.6 pp.446-450　２０１７年６月
https://www.journal.ieice.org/bin/pdf_link.php?fname=k100_6_446&lang=J&year=2017
「『ＡＩに毒を盛る』――学習用データを改ざんし、ＡＩモデルをサイバー攻撃　Ｇｏｏｇｌｅなどが脆弱性を発表」ITmedia　２０２３年４月５日

https://www.itmedia.co.jp/news/articles/2304/05/news050.html
「人工知能（AI）との共生：人間の仕事はどう変化していくのか」情報管理 2018 Vol.60 No.12 pp.865-881
https://www.jstage.jst.go.jp/article/johokanri/60/12/60_865/_pdf/-char/ja
美馬達哉　「ゲノム編集と社会—『遺伝子化論』の視座から」学術の動向 ２０２０年10月
https://www.jstage.jst.go.jp/article/tits/25/10/25_10_70/_pdf/-char/ja
利光惠子「受精卵のゲノム編集と優生思想」科学技術社会論研究 第19号 ２０２１年
https://www.jstage.jst.go.jp/article/jnlsts/19/0/19_32/_pdf/-char/ja
中山敬太「先端科学技術の不確実性政策における『法』と『倫理』の隣接点」場の科学通巻第５号 Vol.2 No.2 ２０２２年
https://www.jstage.jst.go.jp/article/jasccorg/2/2/2_52/_pdf/-char/ja
勝木元也「人は自然物である—人工物ではない」学術の動向 ２０２０年10月
https://www.jstage.jst.go.jp/article/tits/25/10/25_10_28/_pdf/-char/ja
安藤泰至　「人の生殖への技術的介入はどこまで許されるのか？　人文学の観点から」科学技術社会論研究 第19号 ２０２１年
https://www.jstage.jst.go.jp/article/jnlsts/19/0/19_22/_pdf/-char/ja
香川知晶　「ヒトゲノム編集をめぐる倫理問題のあり方」学術の動向 ２０２０年10月
https://www.jstage.jst.go.jp/article/tits/25/10/25_10_65/_pdf/-char/ja
内田恵理子　「ゲノム編集技術を利用した遺伝子治療の規制」ファルマシア Vol.54 No.2 ２０１８年
https://www.jstage.jst.go.jp/article/faruawpsj/54/2/54_128/_pdf/-char/ja

加藤和人「ヒト胚ゲノム編集のガバナンスに関する国際的動向」学術の動向 2020年10月
https://www.jstage.jst.go.jp/article/tits/25/10/25_10_54/_pdf/-char/ja
立川雅司「ゲノム編集技術をめぐる規制と社会動向」科学技術社会論研究 第15号 2018年
https://www.jstage.jst.go.jp/article/jnlsts/15/0/15_140/_pdf/-char/ja
渡邉大樹、齋藤陽子、齋藤久光、玄浩一郎、正岡哲治、大澤良「ゲノム編集技術を利用して作られた食品に対する消費者評価―完全養殖マグロを事例に―」農業情報研究 30(2) 2021年
https://www.jstage.jst.go.jp/article/air/30/2/30_24/_pdf/-char/ja
前澤綾子「ヒト受精胚へのゲノム編集技術の利用」科学技術社会論研究 第19号 2021年
https://www.jstage.jst.go.jp/article/jnlsts/19/0/19_13/_pdf/-char/ja
門岡康弘「生命医療倫理の研究者・実践者としてゲノム編集に思うこと」生命倫理 Vol.30 No.1 2020年9月
https://www.jstage.jst.go.jp/article/jabedit/30/1/30_15/_pdf/-char/ja
澤口聡子「法医学に関連するゲノム技術についての医療と法の問題」昭和学士会誌 第78巻 第3号 2018年
https://www.jstage.jst.go.jp/article/jshowaunivsoc/78/3/78_219/_pdf/-char/ja
鵜澤和彦「リベラル優生学のパラドックス―ゲノム編集における遺伝的多様性をめぐって―」北里大学一般教育紀要 25 2020年
https://www.jstage.jst.go.jp/article/kitasatoclas/25/0/25_35/_pdf/-char/ja
石井哲也「ゲノム編集児の人権と親の家族観」学術の動向 2020年10月

https://www.jstage.jst.go.jp/article/tits/25/10/25_10_46/_pdf/-char/ja
「入門編 がんの全ゲノム解析（令和４年度がんの全ゲノム解析に関する人材育成推進事業）」
https://www.mhlw.go.jp/content/001040770.pdf
「東邦大学理学部生物学科（生物学の新知識）」
https://www.toho-u.ac.jp/sci/bio/column/index.html
赤木剛士　「ゲノム・遺伝子改変に向けたＡＩ協働研究」日本農薬学会誌 47（2）１１３―１１６　２０２２年
https://www.jstage.jst.go.jp/article/jjpestics/47/2/47_W22-24/_pdf/-char/ja
蒲生秀典　「バイオマテリアル関連科学技術の将来展望―第11回科学技術予測調査より―」STI Horizon Vol.6 No.2 ２０２０年
https://www.nistep.go.jp/wp/wp-content/uploads/NISTEP-STIH6-2-00215.pdf
Heidi Ledford　「Safety upgrade found for gene-editing technique」Nature　２０１５年11月16日
https://www.nature.com/articles/nature.2015.18799
ヒマンシュ・ゴエンカ　「遺伝子編集で生物兵器が製造される?」２０１７年12月26日号
https://www.newsweekjapan.jp/stories/world/2018/02/post-9458.php
梅田聡　「共感の理論と脳内メカニズム」高次脳機能研究 第38巻 第2号 ２０１８年6月30日
https://www.jstage.jst.go.jp/article/hbfr/38/2/38_133/_pdf
高橋義行　「キメラ抗原受容体遺伝子導入T細胞（ＣＡＲ－Ｔ）療法」現代医学 67巻 1号 ２０２０年6月
https://www.aichi.med.or.jp/webcms/wp-content/uploads/2020/06/67_1_11_takahashi.pdf

井元清哉「人工知能（ＡＩ）の臨床医学・ゲノム医学への応用」日本内科学会雑誌１１０巻3号 ２０２１年
「With This Genetic Engineering Technology,There's No Turning Back」MIT Technology Review ２０１５年11月23日
https://www.technologyreview.com/2015/11/23/164909/with-this-genetic-engineering-technology-theres-no-turning-back/
「ゲノム編集 特許紛争～ノーベル化学賞の裏で～」２０２２年3月31日
https://pasona-kp.co.jp/column/detail/9
山本達「『優生学』とヒトゲノム解析」京都大学大学院文学研究科 倫理学研究室
http://www.ethics.bun.kyoto-u.ac.jp/wp/genome/genome96yamamoto/
貴堂嘉之「20世紀初頭のアメリカ合衆国における優生学運動と断種 世界初の断種法制定からサンガーの産児調節運動まで」ジェンダー史学 ２０２１年 17巻 5―19
https://www.jstage.jst.go.jp/article/genderhistory/17/0/17_5/_article/-char/ja/
黒崎剛「生命・遺伝子操作に適用された『滑り坂論』の意味を捉えるために」京都大学大学院文学研究科 倫理学研究室
http://www.ethics.bun.kyoto-u.ac.jp/wp/genome/genome96kurosaki/
平本貴史、大森司「遺伝子治療におけるゲノム編集技術の応用」臨床血液 ２０２２年 63巻 11号 １５５８―１５６５
https://www.jstage.jst.go.jp/article/rinketsu/63/11/63_1558/_article/-char/ja
「ＣＲＩＳＰＲ－Ｃａｓ９、ＴＡＬＥＮ、ＺＦＮ―遺伝子編集における競争」

https://www.ptglab.co.jp/news/blog/crispr-cas9-talens-and-zfns-the-battle-in-gene-editing/
John Parrington著 野島博訳 『生命の再設計は可能か ゲノム編集が世界を激変させる』化学同人 2018年
Heidi Ledford著 小林盛方訳 「バイオハッカーが世界を変える?」Natureダイジェスト Vol.8 No.1
https://www.natureasia.com/ja-jp/ndigest/v8/n1/%E3%83%90%E3%82%A4%E3%82%AA%E3%83%8F%E3%83%83%E3%82%AB%E3%83%BC%E3%81%8C%E4%B8%96%E7%95%8C%E3%82%92%E5%A4%89%E3%81%88%E3%82%8B%EF%BC%9F/36379
川島慶子 「ノーベルの夢の体現か?—マリー・キュリーのノーベル賞受賞—」名古屋工業大学学術機関リポジトリ 2017年9月
http://id.nii.ac.jp/1476/00006512/
森川郁也 「機械学習セキュリティ研究のフロンティア」IEICE Fundamentals Review Vol.15 No.1
https://www.jstage.jst.go.jp/article/essfr/15/1/15_37/_pdf/-char/en
小林信一 「デュアルユース・テクノロジーをめぐって」『科学』2018年6月号 岩波書店
https://rihe.hiroshima-u.ac.jp/wp/wp-content/uploads/2021/06/Kagaku_201806_Kobayashi.pdf
嘉幡久敬 「人工知能の軍事応用 世界の現状と日本の選択」科学技術社会論研究 第16号 2018年
https://www.jstage.jst.go.jp/article/jnlsts/16/0/16_30/_pdf/-char/ja
五味晴美 「バイオテロリズムの脅威—生物兵器(炭疽菌)によるテロリズム—」日本医師会 2001年10月9日
https://www.med.or.jp/kansen/terro/bio.html

古川勝久「科学技術の悪用・誤用の危険性の高まりとそのガバナンスについて」
https://archive.unu.edu/gs/files/2008/ok/OK08_Furukawa_abstract_jp.pdf
「科学・技術と社会（6）科学の変容」
https://core.ac.uk/download/pdf/148343022.pdf
西山淳一「防衛技術とデュアルユース」学術の動向 ２０１７年5月
https://www.jstage.jst.go.jp/article/tits/22/5/22_5_48/_pdf/-char/ja
益川敏英『科学者は戦争で何をしたか』集英社新書 ２０１５年
「Poisoning Web-Scale Training Datasets is Practical」２０２３年2月20日
https://arxiv.org/abs/2302.10149v1
岡本真一郎『悪意の心理学―悪口、嘘、ヘイト・スピーチ―』中公新書 ２０１６年
辻大介「岡本真一郎（著）『悪意の心理学―悪口、嘘、ヘイト・スピーチ―』中央公論新社、２０１６」社会言語科学 第20巻 第1号
https://www.jstage.jst.go.jp/article/jajls/20/1/20_184/_pdf/-char/ja
大渕憲一『紛争と葛藤の心理学―人はなぜ争い、どう和解するのか』サイエンス社 ２０１５年
大渕憲一・小倉左知男「怒りの動機 その構造と要因及び反応との関係」The Japanese Journal of Psychology 1985, Vol. 56, No. 4, 200-207
https://www.jstage.jst.go.jp/article/jjpsy1926/56/4/56_4_200/_pdf/-char/ja
林紘一郎「情報セキュリティの社会科学的側面」安全工学 Vol.54 No.6 ２０１５年
https://www.jstage.jst.go.jp/article/safety/54/6/54_479/_pdf/-char/ja

末永絵里子　「戦争と狂熱　動機をめぐるカントの省察およびレヴィナスの意志論を手がかりとして」宗教哲学研究 第37巻 ２０２０年
https://www.jstage.jst.go.jp/article/sprj/37/0/37_43/_pdf/-char/ja
哲学委員会いのちと心を考える分科会　「人の生殖にゲノム編集技術を用いることの倫理的正当性について」学術の動向 ２０２０年10月
https://www.jstage.jst.go.jp/article/tits/25/10/25_10_86/_pdf/-char/ja
安藤博　「ヒト受精胚に遺伝情報改変技術等を用いる研究に関する倫理指針の改正について」医薬品医療機器レギュラトリーサイエンス PMDRS, 52(6), 440~442(2021)
https://www.jstage.jst.go.jp/article/pmdrs/52/6/52_440/_pdf/-char/ja
建石真公子　「日本における研究目的の『ヒト胚のゲノム編集』と『ヒト胚の作成』―人権の観点からどう考えるか」学術の動向 ２０２０年10月
https://www.jstage.jst.go.jp/article/tits/25/10/25_10_40/_pdf/-char/ja
髙山佳奈子　「ヒト胚ゲノム編集に関する日本の法技術的課題」学術の動向 ２０２０年10月
https://www.jstage.jst.go.jp/article/tits/25/10/25_10_34/_pdf/-char/ja
Matt Ridley著 大田直子訳　『人類とイノベーション』NewsPicksパブリッシング ２０２１年
Bill Bryson著 桐谷知未訳　『人体大全』新潮社 ２０２１年
岡本裕一朗　『哲学と人類』文藝春秋 ２０２１年
中川裕志　「ＡＩ倫理指針の動向とパーソナルＡＩエージェント」総務省 学術雑誌『情報通信政策研究』第3巻第2号

https://www.soumu.go.jp/main_content/000679318.pdf
「ナッジ事例集」自治体ナッジシェア
https://nudge-share.jp/all-nudge
佐々木周作「世界の『ナッジ』事情」自治体国際化フォーラム April 2021 Vol. 378
https://www.clair.or.jp/j/forum/forum/pdf_378/04_sp.pdf
川端祐一郎、藤井聡「ナラティブ型コミュニケーションの性質と公共政策におけるその活用可能性の研究」土木計画学研究・講演集、CD－ROM 47 2013
http://trans.kuciv.kyoto-u.ac.jp/tba/images/stories/PDF_1/Fujii/201304-201306/keikakugaku_kawabata_47.pdf
佐々木秀之「住民参加型のまちづくりが求められる背景と価値共創プロセス」東北活性研 Vol．50（2023新春号）
https://www.kasseiken.jp/kassecms/wp-content/uploads/2023/01/vol.50_04.pdf
K. Eric Drexler 「Reframing Superintelligence: Comprehensive AI Services as General Intelligence」 Technical Report #2019-1
https://www.fhi.ox.ac.uk/wp-content/uploads/Reframing_Superintelligence_FHI-TR-2019-1.1-1.pdf
EUROPEAN COMMISSION　The High-Level Expert Group on Artificial Intelligence
「A DEFINITION OF AI: MAIN CAPABILITIES AND SCIENTIFIC DISCIPLINES」Document made public on 18 December 2018
https://ec.europa.eu/futurium/en/system/files/ged/ai_hleg_definition_of_ai_18_december_1.pdf

清水豊「感覚情報の知覚メカニズム」繊維製品消費科学 28巻7号
https://www.jstage.jst.go.jp/article/senshoshi1960/28/7/28_7_266/_pdf/-char/ja
レイ・カーツワイル『シンギュラリティは近い［エッセンス版］人類が生命を超越するとき』ＮＨＫ出版 2016年
更科功『絶滅の人類史―なぜ「私たち」が生き延びたのか』ＮＨＫ出版新書 2018年
岡本裕一朗『ポスト・ヒューマニズム テクノロジー時代の哲学入門』ＮＨＫ出版新書 2021年
人工知能学会「特集：バーチャルビーイング」『人工知能』Vol.38 No.4 2023年7月
石井要「人間のいない世界――中島敦文学における〈絶滅〉の問題系――」昭和文学研究 79巻
https://www.jstage.jst.go.jp/article/showabungaku/79/0/79_70/_article/-char/ja

小川和也　おがわ・かずや
北海道大学産学・地域協働推進機構客員教授。グランドデザイン株式会社CEO。専門は人工知能を用いた社会システムデザイン。人工知能関連特許多数。フューチャリストとしてテクノロジーを基点に未来のあり方を提唱。著書『デジタルは人間を奪うのか』（講談社現代新書）は教科書や入試問題に数多く採用され、テクノロジー教育を担っている。

朝日新書
925
人類滅亡《じんるいめつぼう》2つのシナリオ
AIと遺伝子操作が悪用された未来
2023年9月30日第1刷発行

著者　小川和也

発行者　宇都宮健太朗
カバーデザイン　アンスガー・フォルマー　田嶋佳子
印刷所　凸版印刷株式会社
発行所　朝日新聞出版
〒104-8011　東京都中央区築地5-3-2
電話　03-5541-8832（編集）
03-5540-7793（販売）

Published in Japan by Asahi Shimbun Publications Inc.
ISBN 978-4-02-295232-5
定価はカバーに表示してあります。
落丁・乱丁の場合は弊社業務部(電話03-5540-7800)へご連絡ください。
送料弊社負担にてお取り替えいたします。

朝日新書

歴史の定説を破る
あの戦争は「勝ち」だった

保阪正康

日清・日露戦争で日本は負け、アジア太平洋戦争では勝った！　常識や定説をひっくり返し、山縣有朋からプーチンまでの近現代史の本質に迫る。いま最も注目されている歴史研究の第一人者が定説の裏側を見破り、真実を明らかにする。「新しい戦前」のなか、逆転の発想による画期的な戦争論。待望の一冊。

牧野富太郎の植物愛

大場秀章

幕末に生まれて94年。無類の植物学者、牧野富太郎が生涯を懸けて進めた研究は、分類学と呼ばれる多様性を可視化させる探求だ。多種多様な植物が地球上に生息することを知らしめ、物言わぬ命の豊饒さを書物に残したその存在を、植物分類学の第一人者が悠々たる筆致で照らす書き下ろし。2023年度前期NHK連続テレビ小説『らんまん』モデルを知るための絶好の書！

ポテトチップスと日本人
人生に寄り添う国民食の誕生

稲田豊史

日本人はなぜ、こんなにもポテチが好きなのか？〈アメリカ〉の影、〈経済大国〉の狂騒、〈格差社会〉の波……。ポテトチップスを軸に語る戦後食文化史×日本人論。『映画を早送りで観る人たち　ファスト映画・ネタバレ――コンテンツ消費の現在形』で注目の著者、待望の新刊！

学校がウソくさい
新時代の教育改造ルール

藤原和博

学校は社会の縮図。その現場がいつの時代にもましてウソくさくなっている。特に公立の義務教育の場が著しい。社会からの十重二十重のプレッシャーで虚像になってしまった学校の実態に、「原点回帰」の処方を示す。教育改革実践家の著者によるリアルな提言書！

人口亡国
移民で生まれ変わるニッポン

毛受敏浩

〝移民政策〟を避けてきた日本を人口減少の大津波が襲っている。GDP世界3位も30年後には8位という並の国に。まだ日本に魅力が残っている今、外国人から移民先として選ばれる政策をはっきりと打ち出し、この国を支える人たちを迎え入れてこそ将来像が描ける。

マッチング・アプリ症候群
婚活沼に棲む人々

速水由紀子

婚活アプリで1年半に200人とマッチングしてみたところ、「富豪イケオジ」「筋モテ」「超年下」「写真詐欺」「ヤリモク」……〝婚活沼〟の底には驚くべき生態が広がっていた！　合理的なツールか、やはり危険な出会い系なのか。「2人で退会」の夢を叶えるための処方箋とは。

問題はロシアより、むしろアメリカだ
第三次世界大戦に突入した世界

エマニュエル・トッド
池上　彰

世界の頭脳であるフランス人人口学者のエマニュエル・トッド氏と、ジャーナリストの池上彰氏が、ウクライナ戦争後の世界を読み解く。覇権国家として君臨してきたアメリカの力が弱まり、多極化、多様化する世界が訪れる——。全3日にわたる白熱対談！

朝日新書

60歳から めきめき元気になる人
「退職不安」を吹き飛ばす秘訣

榎本博明

退職すれば自分の「役割」や「居場所」がなくなると迷い悩むのは間違い！ やっと自由の身になり、これから輝くのだ。残り時間が気になり始める50代、離職して途方に暮れている60代、70代。そんな方々のために、心理学博士がイキイキ人生へのヒントを示す。

アベノミクスは何を殺したか
日本の知性13人との闘論

原 真人

「日本経済が良くなるなんて思っていなかった、でもやるしかなかった」（日銀元理事）。史上最悪の社会実験「アベノミクス」はなぜ止められなかったか。どれだけの禍根が今後襲うか。水野和夫、佐伯啓思、藻谷浩介、翁邦雄、白川方明ら経済の泰斗と徹底検証する。

教育は遺伝に勝てるか？

安藤寿康

遺伝が学力に強く影響することは、もはや周知の事実だが、誤解も多い。本書は遺伝学の最新知見を平易に紹介し、理想論でも奇麗事でもない「その人にとっての成功」（＝自分で稼げる能力を見つけ伸ばす）はいかにして可能かを詳説。教育の可能性を探る。

シン・男がつらいよ
右肩下がりの時代の男性受難

奥田祥子

「ガッツ」重視の就活に始まり、妻子の経済的支柱たることを課せられ、育休をとれば、肩書を失えば、同僚らから蔑視される被抑圧性。「男らしさ」のジェンダー規範を具現化できず苦しむ男性が増えている。誰もが生きやすい社会を、詳細ルポを通して考える。

高校野球　名将の流儀
世界一の日本野球はこうして作られた

朝日新聞スポーツ部

WBC優勝で世界一を証明した日本野球。その「心・技・体」の基礎を築いた高校野球の名監督たちの哲学に迫る。村上宗隆、山田哲人など、WBC優勝メンバーへの教えも紹介。松井秀喜や投手時代のイチローなど、球界のレジェンドたちの貴重な高校時代も。

「深みのある人」がやっていること

齋藤　孝

老境に差し掛かるころには、人の「深み」の差は歴然と表れる。そして深みのある人は周囲から尊敬を集める。だが、そもそも深みとは何なのか。「あの人は深い」と言われる人が持つ考え方や習慣とは。深みの本質と出し方を、人気教授が解説。

天下人の攻城戦
15の城攻めに見る信長・秀吉・家康の智略

渡邊大門／編著

信長の本願寺攻め、秀吉の備中高松城水攻め、真田丸の攻防をはじめ、戦国期を代表する15の攻城戦を徹底解剖！「城攻め」から見えてくる3人の天下人の戦術・戦略とは？　最新の知見をもとに、第一線の研究者たちが合戦へと至る背景、戦後処理などを詳説する。

新しい戦前
この国の〝いま〟を読み解く

内田　樹
白井　聡

「新しい戦前」ともいわれる時代を〝知の巨人〟と〝気鋭の政治学者〟は、どのように捉えているのか。日本政治と暴力・テロ、防衛政策転換の落とし穴、米中対立やウクライナ戦争をめぐる日本社会の反応など、歴史の転換期とされるこの国の〝いま〟を考える。